Aos meus seis netos, que, em virtude da minha crise
e graças a um desejo subsequente de
quebrar o ciclo de violência, vivem em lares pacíficos
e livres de abuso emocional e físico.

AGRADECIMENTOS

Há muitas pessoas a quem eu desejo agradecer pelo apoio e encorajamento neste projeto. Escrever este livro tem sido uma experiência humilhante à medida que eu propositalmente retorno ao meu passado doloroso e ao começo da minha restauração — revivendo passo a passo.

Minha esposa, Judy, apoiou-me durante a pesquisa, adaptação e aplicação desses conhecimentos em minha vida, bem como meus filhos: Tammy, Heidi e Jeff.

Expresso minha gratidão a Lenore Walker, cujo trabalho pioneiro no campo da violência doméstica foi tudo que tive no final da década de 70, quando minhas necessidades pessoais eram enormes. Outros que influenciaram minha pesquisa e minha leitura de vida como o "quem é quem" nesta área, incluindo o Projeto Abuso Doméstico em Minneapolis.

Um agradecimento especial a Mary Rebar do Escritório Estadual de Advocacia no município de Champaign, Ilinois, pelas sábias sugestões enquanto estruturávamos este livro, e pelo seu conhecimento do sistema judiciário e serviços às vítimas.

Não posso esquecer meu pastor, Tim Stearman, que me deu uma oportunidade quando outros duvidavam da minha recuperação, e Keith Showalter, que deu testemunho por mim. Pastor Tim, você é o melhor pastor que já tive.

A *Beacon Hill Press* da cidade de Kansas, vocês têm sido pacientes comigo ao longo do processo de composição e edição deste livro. Obrigado do fundo do meu coração.

A todos os envolvidos, muito obrigado.

Sumário

Capítulo 1

O Pano de Fundo

A História de Paul

Quando eu tinha nove anos de idade aceitei o chamado de Deus para o ministério. Seis meses depois, fui molestado sexualmente. Eu lembro que me senti sujo, prejudicado e diferente. Certamente, Jesus jamais poderia chamar um garoto "sujo" como eu para trabalhar em seu Reino.

Tentei conversar com meus pais sobre o que havia acontecido, mas naquele tempo, pessoas "decentes" não conversavam sobre essas coisas. Eu era reprimido até por usar a palavra sexo.

Várias semanas depois da minha primeira tentativa de discutir meu molestamento com meus pais, fiz uma pergunta hipotética a minha mãe: — Se meu amigo David fosse molestado por um homem velho, o que aconteceria com ele?

— O quê? Eu nunca mais permitiria que você brincasse com ele! — ela respondeu.

— Por quê?

— Porque David estaria arruinado, ele estaria prejudicado, e saberia coisas que as crianças não devem saber. Você nunca mais poderia brincar com ele.

Quando eu penso na minha vida quando criança, recordo-me de como eu gostava do meu calmo lar cristão. Meu pai foi um pregador, e embora fosse um grande orador no púlpito, a única parte triste da minha vida naquele tempo era que ele não sabia como se comunicar com a nossa família. Todas as manhãs, quando ele saía de casa, simplesmente apertava minhas mãos. Eu ansiava desesperadamente que ele me pegasse nos braços e me desse um grande abraço.

Um dos maiores privilégios de ser filho de pastor era conhecer os missionários que vinham à nossa igreja. Uma das minhas favoritas era Louise Chapman. Ela trabalhou na África por muitos anos, e contava histórias de bruxas e cobras cegas enfeitiçadas. Ela compartilhava como Deus havia colocado sua vida em tantas situações distintas.

Uma noite eu perguntei-lhe o que ela havia sentido quando Deus a chamara para o ministério.

Ela explicou do jeito que uma criança de nove anos podia entender, e as lágrimas encheram os meus olhos. "Isso é o que está acontecendo comigo!" Eu gritei: "Eu quero fazer aquilo que Jesus quer que eu faça".

A senhora Chapman colocou suas mãos na minha testa e orou por mim. Eu estava tão animado porque Deus tinha me escolhido para servi-lo.

Quando não me permitiram lidar com a verdade do meu molestamento na época em que ocorreu, e desde que também fiquei consciente da "marca" que ficaria através da minha situação hipotética sobre meu amigo David, bani completamente essa experiência do meu subconsciente. Pelos trinta anos seguintes, eliminei esse fato da minha memória.

Conheci minha futura esposa, Judy, quando minha família se mudou para a capital. Ela tinha 13 anos, e eu, 15. Naquele tempo começamos a namorar. Eu havia desenvolvido uma personalidade de Jekyll-and-Hyde* — sem dúvida, em virtude de minha consciência sexual precoce, que resultara do fato de ter sido molestado. Eu era considerado animado, engraçado, o centro das atenções — mas não tinha conhecimentos ou habilidades interpessoais porque meu desenvolvimento emocional tinha sido interrompido numa idade precoce. Em virtude do meu desenvolvimento atrasado, sentia-me como um garotinho namorando uma mulher mais velha, tão bonita que alguém poderia tentar roubá-la de mim. Inconscientemente, eu tentava destruir sua autoestima para que ela não me trocasse por outra pessoa.

Casamos quando eu tinha 19, e ela, 17 — primeiramente porque eu precisava apoderar-me dela. Estávamos planejando fu-

* **N. do T.:** Os personagens Dr. Jekyll e Sr. Hyde são fruto da obra literária *The Strange Case of Dr. Jekyll and Mr. Hyde* [O Estranho Caso do Dr. Jekyll e do Sr. Hyde], de autoria de Robert Louis Stevenson. Na história, um é inclinado ao bem (Jekyll) e outro, ao mal (Hyde).

gir de casa, mas quando sua mãe descobriu nossos planos, disse-me: "Se parássemos vocês agora, tentariam de novo. Ligue para o seu pai e peça-lhe para realizar a cerimônia".

Casamos no sábado. No domingo eu já estava abusando de Judy física e emocionalmente. Era o começo de uma existência miserável que perdurou por 16 anos.

Eu odiava quem eu era. Mas pensava que talvez a escolha pelo 1ministério me ajudaria a superar meu mau comportamento. Definitivamente essa não é uma boa razão para entrar no ministério.

Judy e eu pastoreamos uma pequena igreja em Iowa. Embora eu ainda fosse um vaso quebrado, a igreja crescia e as pessoas eram salvas. Que testamento é a Palavra de Deus!

Eu fui capaz de parar com meu comportamento abusivo durante as seis primeiras semanas do nosso pastorado. Entretanto, como a igreja era pequena, eu tinha que trabalhar para sustentar a casa, e o estresse começou a tomar conta de mim. Finalmente desenvolvi um modelo agressivo para com Judy quando chegava em casa. Fazia buracos nas paredes da casa pastoral e batia em Judy e nas crianças. Algumas vezes ela se trancava no banheiro, mas eu conseguia arrombar a fechadura. Ela não tinha lugar seguro.

Por três anos vivemos esse tipo de vida. Eu não tinha o controle da minha vida e era impotente para mudar. Eu sabia que estava errado e repetidamente me ajoelhava no altar e clamava: "Deus, por que não consigo mudar? Por que estou tão 'compulsivo' neste relacionamento? Por que sou assim?"

Como as respostas não surgiram, eu desenvolvi uma tática. Bem, Deus, você me chamou para o ministério. Se o Senhor ajudar Judy, eu ficarei bem. Geralmente eu pedia a Deus para bater na cabeça dela com um pedaço de madeira para conseguir sua atenção e torná-la obediente e submissa, então eu não me comportaria tão mal. Eu a culpava por meu problema.

Finalmente, não consegui suportar a pressão de viver uma mentira enquanto estava tentando ser pastor, e abandonei a igreja e a família. Minha solução era voltar para Deus e para tudo em que eu acreditava.

Judy e eu ficamos separados por três anos e meio, e então nos divorciamos. Ao longo dos três anos seguintes, vivi com outra mulher num relacionamento mais violento do que meu casamento com Judy. Eu machucava aquela mulher de modo tão terrível que ela fugia para um abrigo e ligava para a polícia. Aprendi que o que eu fazia poderia me levar preso por tentativa de assassinato, e eu poderia ficar na prisão por 15 a 22 anos. Ela me deu um ultimato: "Ou eu conseguia ajuda por meio de um grupo de apoio e me inscreveria para participar nas próximas 12 horas ou ela daria meu endereço à polícia". Ela me deu o nome do grupo de apoio em que eu deveria me inscrever e o nome do homem que deveria procurar.

Minhas ações colocaram-me em perigo de ser acusado de tentativa de assassinato, que poderia ter resultado em 15 a 22 anos de prisão.

Aquilo chamou minha atenção! Eu fui até lá e comecei a fazer terapia pessoal. O grupo me motivava a mudar.

Seis meses depois, no entanto, eu ainda dizia aos meus companheiros de grupo que se não fosse minha ex-esposa, minha namorada, meus pais, isso ou aquilo, as coisas seriam diferentes. Eu ainda estava no estágio de negação.

Lembro-me claramente quando um dos outros membros olhou para mim e disse: "Quando você vai aprender que isso não tem a ver com os outros, tem a ver com você?" Este homem não tinha aceitado as próprias responsabilidades ainda, mas podia ver através de mim. Isso me deixou com tanta raiva que decidi que não voltaria ao grupo nunca mais — mesmo se eu tivesse de encarar a prisão por tentativa de assassinato.

Três noites depois, no entanto, em desespero atirei-me e esmurrei-me ao chão. Por duas horas eu gritei com Deus. "Davi era um homem segundo o seu coração, e mesmo assim, Ele lhe desobedeceu! O Senhor disse que não fazia acepção de pessoas. Eu tenho clamado a ti! Por que não me ouves?"

Eu listei para Deus todos os grandes homens da Bíblia e seus pecados. Então falei: "Em Tiago, o Senhor diz que se eu pedir sabedoria, o Senhor me dará abundantemente".

Depois disso, senti autopiedade. Eu gritei até que não havia mais lágrimas e minha garganta estivesse ferida. Eu gritei por tanto tempo com Deus que não podia nem sussurrar — minha voz sumira. Porém, em meu coração, eu ouvi: "O Pai tem ouvido seu clamor por sabedoria, Paul. Mas seu espírito não está disponível para aprender".

Eu questionei: "Mas por quê? Por que não posso me submeter à autoridade? Por que não estou pronto para aprender?"

Novamente eu senti uma resposta. "Se você estiver disposto a aprender, o Pai lhe dará um plano que restaurará sua família. Quando isso acontecer, Ele quer que você leve esse plano ao seu país e finalmente ao mundo."

Deus, eu ainda não sei como ter esse espírito. O Senhor poderia me mostrar?

Deus me ensinou que eu precisava ir até Ele como uma criança. Portanto, eu precisava crescer. Vim a perceber que somente eu era culpado por meu comportamento abusivo. Retornei ao grupo e completei meu curso.

Alguns meses depois, eu liguei para Judy. "Judy, há algumas coisas acontecendo na minha vida."

No início, ela não quis saber de mim. Porém, finalmente fui capaz de convencê-la a se encontrar comigo, e conversamos por horas. Pela primeira vez, tornamo-nos amigos. Encontramo-nos por onze meses. Deus trabalhou em nossos corações e trouxe-me uma nova maturidade enquanto eu começava a crescer. Ele nos deu um novo amor um pelo outro, diferente do nosso primeiro relacionamento.

Depois de sete anos afastados e divorciados, Judy e eu nos casamos de novo. Foi em 1984, e desde então não há mais abusos físicos ou emocionais.

Nossos filhos vieram passar o Natal conosco naquele ano, e foi tão bom o período em que estivemos juntos que nossa filha de 23 anos disse: "Pai, posso voltar a morar com vocês?" Eu concordei.

Depois de estar lá por alguns meses, ela disse a sua irmã mais nova: "Se papai concordar com você, volte para casa. É uma viagem real!" Duas horas depois daquela recomendação, nossa filha mais nova perguntou se podia voltar para casa também. Nosso filho, Jeff, voltou quando estava com vinte anos, e tivemos o privilégio de reeducar nossos três filhos adultos. Todos eles estão casados agora, naturalmente, e Judy e eu somos avós.

Judy e eu certamente tivemos nossos momentos difíceis, mas fora isso, veio o programa "Aprendendo a Amar — Conhecimentos para a Vida".

A História de Judy

A primeira vez que coloquei os olhos em Paul Hegstrom foi no meu primeiro acampamento de adolescentes. Durante uma aula a respeito de namoro e casamento, o professor nos pediu para pensar sobre a maneira como deveríamos tratar nossos cônjuges. Quando nos pediram para compartilhar nossos pensamentos, o único a falar foi o Paul. Ele fez alguns comentários grosseiros, e os meninos riram. Nós, garotas, pensamos que ele era um idiota. Dois meses depois, Paul se mudou para a minha cidade em Iowa e começou a frequentar minha igreja.

Logo, Paul e eu estávamos juntos no grupo jovem. Nosso namoro tinha altos e baixos, e eu vivia constantemente aflita. Entretanto, quando Paul insistiu para que nos casássemos enquanto eu ainda estava no último ano do Ensino Médio, concordei. Meus pais foram contra, mas no fim deram-nos sua bênção, e fizemos uma cerimônia simples, apenas com membros da família.

O dia depois do nosso casamento era um domingo — nosso primeiro dia como marido e mulher. Meu irmão estava conosco, e, por alguma razão, ele e Paul terminaram numa discussão. Tentei intervir, mas Paul exclamou: "Isso não é da sua conta!" Ele me empurrou para fora do quarto, e eu caí. De repente, fiquei com medo do homem com quem havia me casado. É claro que ele se desculpou. Porém, também acrescentou que a culpa era minha por ter interferido. E desde então comecei a aceitar a culpa pelo abuso.

Poucos dias mais tarde, Paul criticou minha inteligência.

"É muito ruim todos nós não podermos ser tão espertos como você", revidei.

Paul me deu um tapa no rosto, quebrando meus óculos. Enquanto o sangue escorria, meu irmão simplesmente assistia. Mais tarde Paul se ofereceu para me levar ao hospital, no entanto, tive medo dele e pedi-lhe apenas para me deixar na casa dos meus pais.

Paul me deixou na entrada da garagem para que não tivesse de encarar meu pai. Eu implorei ao meu pai para não machucar Paul — e assim comecei a estabelecer os alicerces que serviam para justificar o comportamento de Paul.

Paul e eu nos mudamos quatro vezes nos primeiros meses de casados — duas vezes para outras cidades. Eu trabalhava num quiosque de hambúrguer, e isso significava que já tinha comido qualquer coisa. Finalmente, um dia liguei para o meu pai para dizer-lhe que eu estava com fome e queria voltar para casa. Eu não queria ir para casa, só queria que Paul arrumasse um emprego e cuidasse de mim.

Não muito tempo depois, descobri que estava grávida, e Paul e eu nos mudamos para a Califórnia. Nós nos mudamos constantemente em nosso primeiro ano juntos.

Depois que a nossa segunda filha nasceu, lembro-me de ter perguntado a Paul se já poderíamos nos fixar num lugar e ter nossa casa própria. Ele com muita raiva me informou que teríamos de nos sacrificar para que ele pudesse voltar à faculdade. Ele tentou ser um pai de família, mas seus velhos hábitos retornaram. Ele gastava o dinheiro descontroladamente e não pagava nossas contas básicas nem comprava comida com aquele pouco dinheiro que tínhamos. Nossos vizinhos amarravam uma corda da garagem deles até nossa casa, para que eu pudesse receber comida e cuidar de nossas crianças ao anoitecer. Paul não ficava nem um pouco constrangido pelos outros estarem sustentando sua família; ele ficava até feliz por não ter mais responsabilidade por nós.

Era humilhante que Paul estivesse ganhando tanto dinheiro e se recusasse a cuidar de sua família.

Paul foi chamado para uma igreja num pequena comunidade, e eu esperava que nossa vida mudasse. Enquanto nossas crianças cresciam, eu tentava protegê-las do comportamento dele, porém, é claro, elas estavam conscientes do que estava acontecendo.

Em vez de culpar Paul por seu mau comportamento, eu me culpava e tentava olhá-lo de modo perfeito e idealizá-lo perfeitamente. Entretanto, nada que eu fazia deixava-o feliz. O abuso físico continuou a aumentar de modo gradativo. Certa vez, enquanto nossas crianças gritavam do lado de fora da porta do quarto fechada, Paulo me machucou tanto que me deixou fora de si. As crianças estavam gritando e perguntando se estava tudo bem. Finalmente fui capaz de respondê-las e dizer que estava tudo bem, mas elas sabiam que não. Meus filhos não eram ingênuos; eles só não sabiam o que fazer.

Finalmente ficou claro que Paul estava tendo outras mulheres. Algumas vezes, nos feriados e domingos, ele se arrumava e saía de casa para ver 'clientes'. Eu encontrei literatura pornográfica no meio de suas coisas, e ele disse que pertencia a um amigo, que tinha escondido em nossa casa.

Meus filhos e eu muito mal sobrevivíamos. Algumas vezes Paul sumia por um longo tempo, e ficávamos desesperados por comida. O Serviço Social não podia nos ajudar, porque Paul recebia dinheiro.

Uma irmã de nossa igreja era gentil o bastante para nos trazer "mantimentos". Era tão humilhante saber que Paul estava supostamente ganhando dinheiro, mas não cuidava de sua família.

Paul continuava com suas idas e vindas em nossas vidas, porém eu era mais feliz quando ficavam só as crianças e eu. Mesmo estando distante de nós, ele continuava a controlar nossa vida. Certa ocasião, nosso telefone estava desligado porque ele não tinha pago a conta, e mesmo assim ele ainda insistia em falar comigo todos os dias e exigia que eu fosse a um telefone que ficava a duas quadras de nossa casa e esperasse sua ligação.

Finalmente nos mudamos como uma família, e enquanto eu desempacotava as caixas, abri uma que eu pensava conter itens da casa. Encontrei um papel dobrado e, quando desdobrei, li: "Hegstrom vs. Hegstrom". Incapaz de compreender o que eu segurava em minhas mãos, chamei meu advogado, que ao ler o documento disse: "Desculpe, senhora, mas você está divorciada".

O advogado explicou que Paul havia dito que não sabia onde eu morava ou como me contatar, então solicitou o divórcio incontestável.

As crianças e eu encontramos um novo apartamento para nós e começamos a curtir um novo tempo de liberdade. Agarrei-me espiritualmente pelo fato de Deus não ter mudado Paul e por que eu tinha sofrido tanto no meu relacionamento. Então, uma noite o Senhor falou comigo: "Não ore para Paul retornar. Ore pela alma dele".

Depois de semanas de oração por Paul, entregando-o a Deus, percebi que não sentia mais nada por ele. Eu era capaz de continuar minha vida sozinha. Comecei a me sentir uma pessoa valiosa, capaz de usar minha mente e aceitar a mim mesma e aos outros. Os anos se passaram tranquilamente.

Quando nossa filha estava pronta para ir para a faculdade, tive medo de que meu carro não pudesse fazer a viagem de 800 quilômetros. Passei por cima do meu orgulho e perguntei se Paul não me emprestaria o carro dele para eu levá-la. Ele me contou que ele e sua namorada tinham terminado, embora eu não acreditasse nele e não me importasse. Ele disse que não queria que eu dirigisse sozinha para tão longe e que ele levaria Heidi à faculdade. Eu sabia que ela não se sentiria à vontade sozinha com ele, então lhe disse que iria junto.

No percurso de casa até a faculdade, Paul e eu conversamos como seres humanos. Não houve comentários mordazes, nem acusações. Perguntei o que o mundo tinha feito com ele. Ele respondeu que tinha feito terapia e suas atitudes estavam mudando, e que estava começando a aceitar a responsabilidade por seu comportamento passado.

Ele começou me convidando para encontrar com ele para um café ocasionalmente. Nós não estávamos namorando — só conversando. Eu saía de nossas conversas me sentindo uma pessoa normal. Podia discutir coisas com ele sem que ficasse nervoso. Não parecia afetá-lo negativamente quando eu não compartilhava de suas opiniões.

Por fim, passamos a nos encontrar regularmente, mas eu ainda estava receosa. Um dia ele me perguntou se eu já havia pensado na possibilidade de reconciliação. Eu lhe disse que já havia pensado em como as coisas poderiam ter sido diferentes se ele tivesse agido assim quando nos casamos. Disse-lhe que poderia falar sobre e quanto ele havia melhorado e que eu gostava daquele novo homem. Ele pareceu orgulhoso quando eu disse isso — mas humilde ao mesmo tempo.

Eu pedi a Deus direção. Logo comecei a ter por Paul sentimentos de amor que nunca sentira durante o nosso casamento. Paul me contou que estava sentindo o mesmo, e que embora estivesse com medo, Deus havia lhe mostrado que nossa família seria restaurada.

As semanas seguintes ao nosso segundo casamento foram maravilhosas. Ele era, de fato, um novo homem. Os anos do nosso segundo casamento têm sido os mais felizes. Embora eu tivesse que encarar alguns sentimentos malresolvidos e inseguranças decorrentes do nosso primeiro casamento, agora vivo feliz, uma vida conjugal livre de abusos.

Paul e eu temos aprendido muito, e nosso desejo é compartilhar o que o Senhor tem nos ensinado em nossa jornada. Deus provê ajuda para nós na Bíblia e por intermédio do seu povo. Se você é um homem violento, ou uma mulher que ama esse tipo de homem, é nossa oração que você se beneficie de nossa história.

Capítulo 2

O Vasto Alcance da Violência Doméstica

A escritora e conferencista Lonni Collins Prat escreveu o seguinte sobre a experiência dela com violência doméstica:

> O que eu estava fazendo na igreja de novo? Depois de tudo, eu e Deus não falávamos mais a mesma língua.
>
> Oito meses atrás, eu estava encolhida no convés do barco de um amigo e disse a Deus que estava desistindo. Isso aconteceu pouco tempo depois de eu ter recebido um diagnóstico de leucemia e ficar sabendo que meu marido tinha dado a entrada no divórcio.
>
> O divórcio não foi uma surpresa. Meu marido exigira que eu não tratasse minha doença; ele disse que as pessoas falariam que a esposa do pastor preferia procurar o médico em vez de Deus.
>
> "Se você confiasse em Deus e orasse", ele gritava comigo enquanto apertava seus dedos em volta da minha garganta. Eu sabia que ficariam marcas.
>
> "Se você fosse uma esposa obediente, Deus a curaria", ele continuava falando enquanto me jogava contra a parede do quarto. Uma dor terrível passava do pescoço aos meus ombros. Eu o empurrei para que ele fosse embora.
>
> Ele arrebentou meu colar com as mãos. Eu fechei meus olhos e me preparei para o que viria a seguir, quando ele me arremessasse contra a parede de novo.
>
> "Deus está castigando você, e seria pecado qualquer um interferir neste castigo!", ele gritava, puxando-me do chão pelos cabe-

> los. Eu o olhei, esperando os socos começarem de novo, grata pelas crianças já estarem na cama.
> Então suas mãos me largaram. Ele percebeu que eu não estava chorando. Por quatorze anos suportei este abuso, sempre suplicando a ele para não me machucar. Eu temia um agravamento da violência — móveis sendo arremessados no quarto, chá quente no meu rosto, olho roxo ou pior.
> Enquanto eu o ouvia dizer que Deus estava me punindo, uma voz interior sussurrava: "Ele vai deixá-la morrer, vai deixá-la morrer porque a odeia".[1]

A violência doméstica cresce no mundo inteiro. Especialistas dizem que está alcançando proporções epidêmicas. O ex-chefe da Saúde Pública dos Estados Unidos C. Everett Coop classifica este como "o problema de saúde número 1 da América".[2] A família e o lar americanos são talvez mais violentos que qualquer outra instituição americana, excetuando-se os militares em tempo de guerra.[3] Em nenhum outro segmento da sociedade ocorre tanta violência doméstica quanto em casa. Sem acepção — religiosa, étnica ou social.

Considere as seguintes estatísticas:

- A violência doméstica é o crime menos denunciado na América — só 10% denunciam.[4]
- De acordo com a senadora dos Estados Unidos Barbara Boxer em 2 de setembro de 1993, 90% dos casos de violência familiar nunca instauraram um processo; e 1/3 dos casos seria considerado crime se cometido por estranhos, mas são arquivados como casos de má conduta (um crime mais leve).
- A violência doméstica é a maior causa dos ferimentos em mulheres entre 15 e 44 anos, mais comum que acidentes de carro, estupros, roubos e mortes de câncer.[5]
- A cada 9 segundos uma mulher é agredida.[6]
- De 24 a 30% de todos os casos de violência doméstica ocorrem regular e continuamente.[7]
- Aproximadamente 95% das vítimas de violência doméstica são mulheres.[8]

- A violência ocorrerá pelo menos uma vez em 50% de todos os casamentos.[9]
- Revólveres são usados em 30% dos incidentes de violência doméstica.[10]
- De acordo com a reportagem da Organização Nacional para Mulheres, diariamente uma média de 10% das mulheres são mortas por seus agressores.
- As mulheres que abandonam seus agressores possuem um risco 75% maior de serem mortas pelos agressores do que aquelas que ficam em suas casas.
- Mais de 50% de todas as mulheres e crianças moradoras de rua neste país estão fugindo da violência doméstica.[11]
- A violência do abusador é usada no relacionamento como uma forma de controle sob a vítima.[12]
- Entre as crianças que testemunharam uma mãe sendo agredida, 40% sofrem de ansiedade; 48% de depressão; 53% reproduzem esse comportamento com os pais; e 60%, com os irmãos.[13]
- Uma estimativa recente de violência familiar nos Estados Unidos sugere que de 3 a 5 crianças em cada sala de aula já devem ter testemunhado algum tipo de violência em sua casa.[14]
- Meninos que testemunharam uma violência doméstica entre adultos possuem 700 chances a mais de agredir suas futuras mulheres. Meninos que também foram vítimas de abuso físico têm 1.000 vezes mais chance de bater em suas mulheres quando adultos.[15]
- Num estudo em Nova York com 50 mulheres agredidas, 75% disseram que foram atormentadas pelo agressor enquanto iam ao trabalho; 50% responderam que tinham de faltar aproximadamente 3 dias no mês; e 44% perderam no mínimo um trabalho por motivos diretamene relacionados ao abuso.[16]
- O custo médio de uma violência doméstica é de pelo menos 3 a 5 milhões de dólares anualmente. A esse custo, pelo menos outros 100 milhões podem ser adicionados com gastos voltados para perdas salariais, licença para tratamento de saúde, improdutividade e absenteísmo (Porter, 1984).[17]

- A cada ano a violência doméstica encabeça a lista dos 100.000 dias de hospitalização, 301.000 visitas à sala de emergência e quase 40.000 visitas ao médico.[18]

Surpreendentemente, as estatísticas acima representam apenas agressões físicas, mas a violência familiar tem muitas outras expressões. De fato, a violência doméstica pode variar de um olhar a um tiro de revólver.

DEFINIÇÃO DE ABUSO

A violência doméstica pode variar de um olhar a um tiro de revólver.

Todo relacionamento tem seus altos e baixos, e nenhum casamento é completamente livre de conflito. Entretanto, como sabemos quando o conflito normal ultrapassou a linha da normalidade? As soluções são: compreender os parâmetros dos relacionamentos saudáveis e identificar comportamentos apropriados.

Quando um casal não se dá bem e experimenta conflitos que precisam ser resolvidos, ambos devem reconhecer que o valor do relacionamento é maior do que o conflito em si. A principal ferramenta para a resolução do conflito é identificar o problema e atacá-lo juntos, em vez de atacar um ao outro.

Muitos relacionamentos danosos carecem desse componente crítico. Em vez disso, eles recorrem ao poder e controle que se manifestam de muitas maneiras e tomam formas que podem ser muito sutis e difíceis de identificar. Normalmente, um cônjuge abusivo tentará um controle significante por meio de um ou mais de um dos seguintes comportamentos.

Abuso Físico

Temos visto nos jornais e na televisão muitos exemplos de abuso físico. Você provavelmente tem uma ideia do que seja abuso. Entretanto, abuso físico possui várias formas: surra, mordida, estrangulamento, agarramento, pancada, pontapé, beliscão, puxão de cabelo, soco, empurrão, controle, arranhão, sacudida, bofetada, excesso de cócegas, braços torcidos, uso de armas, espancamento e sufocamento.

Alguns homens não percebem a intensidade da dor que causam porque não reconhecem sua própria força. Você já percebeu uma mulher com uma marca de ferimentos no lado de dentro dos braços? É comum um agressor agarrar sua companheira pela parte superior dos braços para chamar sua atenção, sacudindo-a, enquanto sua adrenalina está bombando, e dizendo: "Ouça-me!"

A mulher pode não se dar conta de que está sendo agredida. Se questionado, o homem diria: "Eu não abusei fisicamente dela". Um marido geralmente diria: "Eu dei um tapa porque estava tentanto chamar sua atenção. Ela mereceu. Seu batesse nela, ela saberia". Esse homem definiu socar como bater com um punho fechado. "Eu só bati nela —não abusei dela", ele diria.

A principal ferramenta para a resolução de um conflito é identificar o problema e atacá-lo juntos em vez de atacar um ao outro.

Quando pressionado, esse homem lhe diria que estava fora de controle e não percebeu o que estava fazendo. "Ela mereceu", ele diria. Interessante, no entanto, é que ele provavelmente só a machuca em lugares onde os machucados não apareceriam. Ele poderia estar gritando, enfurecido, e batendo nela, se alguém ligasse, ele conseguiria atender o telefone tão calmo, tranquilo e controlado como deve ser. "Oi! Como você está?... Oh, eu estou bem!" O agressor possui o controle a tal ponto que pode ir de um extremo a outro em segundos. A qualquer momento em que sentir que perdeu o controle da mulher ou da situação, ele recorre de alguma maneira à violência física para retomar o controle da mulher. É um esforço consciente.

Poder

O poder manifesta-se de muitas maneiras e pode ser um instrumento de abuso. Em casos extremos, o marido pode negar à esposa as necessidades mais básicas, tais como comida ou repouso. Ou ela pode ter o direito a própria privacidade negado.

Nesse tipo de abuso, o homem estabelece os deveres da mulher. Ela sabe quando e o que se espera que ela cozinhe, quando lavar a roupa e o carro. Ele exerce controle sobre toda a vida dela. Pode até controlar a quantidade de água que ela utiliza no banho. Ele se sente no direito de ensinar-lhe uma lição, até mesmo na tentativa de exercer o seu poder, dizendo algo como:

ABUSO FÍSICO

Demonstrado por meio de surra, mordida, estrangulamento, agarramento, pancada, pontapé, beliscão, puxão de cabelo, soco, empurrão, controle, arranhão, sacudida, bofetada, excesso de cócegas, braços torcidos, uso de armas, espancamento, sufocamento e rasteira.

PRIVILÉGIO MASCULINO

O abusador trata as vítimas como servas; toma todas as decisões; age como "Rei do Castelo"

ABUSO DE CONHECIMENTO

O abusador faz terapia, vai aos seminários, lê livros de autoajuda para então abusar dela com conhecimento que tem, mas não assume a responsabilidade por seus comportamentos pessoais

ABUSO SEXUAL

O abusador exige sexo bizarro e indesejável; ataca fisicamente partes sexuais do corpo; trata a vítima como um objeto sexual; interrompe o sono para fazer sexo; força o sexo; demonstra ciúme extremo

HUMILHAÇÃO

Caracteriza-se por: humor hostil; humilhação pública; críticas; desprezo à aparência física, aos conhecimentos maternais ou paternais, ao trabalho de casa, à comida, etc.; o abusador força-a comer alimentos que ela não gosta

PODER E CONTROLE

ABUSO DE RESPONSABILIDADE

O abusador torna a vítima responsável por tudo na vida, por exemplo, contas, educação dos filhos, etc.

ABUSO MÉDICO

O abusador causa ferimentos na vítima e não lhe permite receber tratamento médico; não lhe permite receber tratamento médico para tratar de questões normais de saúde

ABUSO RELIGIOSO

O abusador usa a Escritura e palavras como "submissão" e "obediência" para abusar; linguagem espiritual

USANDO CRIANÇAS

O abusador usa crianças para dar recados; usa o direito à visita aos filhos para atormentar a mãe; usa o apoio da criança como alavanca

ISOLAMENTO

O abusador controla o que é feito, quem é visto, com quem se conversa; restringe ou ouve as chamadas telefônicas; sabota o carro; restringe interesses superficiais; insiste em se mudar frequentemente; exige que ela fique em casa; restringe o acesso ao e-mail; priva-a de seus amigos

PODER

O abusador nega os direitos básicos; usa a lei para impor seu poder; priva-a de uma vida pessoal ou privada; estabelece as obrigações; controla tudo, por exemplo, a quantidade de água que ela usa no banho

PERSEGUIÇÃO

O abusador segue a vítima em suas atividades, por exemplo, na igreja, shopping, trabalho, etc. Demonstra extrema desconfiança e ciúme

ABUSO EMOCIONAL

O abusador coloca-a para baixo; xinga-a de palavras obscenas; brinca com a memória dela; empenha-se na coerção mental; exibe um comportamento extremamente controlador; reprime a afeição; leva-a a perder a identidade

AMEAÇAS

O abusador ameaça terminar o relacionamento; ameaça prejudicá-la emocional ou fisicamente; ameaça a vida dela; ameaça tomar as crianças, cometer suicídio, recorrer a autoridades; obriga-a a violar a lei

ABUSO ECONÔMICO

O abusador estabelece restrições ao emprego dela; obriga-a a pedir dinheiro; dá-lhe uma mesada e depois pega o dinheiro de volta; exige que ela preste conta de cada centavo que gasta

ABUSO FINANCEIRO

O abusador arruína o crédito dela; coloca em seu nome o carro, a casa, equipamentos de recreação e/ou outras propriedades dela; gasta o dinheiro dela, usa o cartão de crédito ou guarda para torná-la dependente dele

INTIMIDAÇÃO

O abusador usa o olhar, as ações, os gestos e a voz para causar medo; discute frequentemente; exige que a vítima diga o que ele quer ouvir

VIOLÊNCIA DE PATRIMÔNIO

O abusador soca paredes, destrói patrimônios, quebra portas, esmurra mesas, abusa de animais de estimação, etc.

SILÊNCIO

Usa o silêncio como uma arma; não se comunica; não expressa suas emoções

ABUSO VERBAL

Amaldiçoa, acusa, xinga, usa o passado para controlar e manipular, envolve-se com chantagem emocional, faz exigências exorbitantes

"Ela estava agindo como uma criança, então a derrubei com meu joelho".

Perseguição

É semelhante à espionagem. O perseguidor pode seguir a vítima em suas atividades ou enquanto está enviando mensagens. Ele não confia nela e é insanamente ciumento. *Se não posso tê-la, ninguém pode*, ele pensa. A maioria das pessoas acha que perseguição está restrita a relacionamentos caracterizados pela separação ou divórcio, mas acontece também nos casamentos.

Aplica-se a muitos casais — até mesmo cristãos — nos quais o marido é inseguro. Frequentemente a esposa não tem ideia de que a perseguição está ocorrendo.

A tecnologia tem aberto portas para algumas novas e interessantes maneiras de perseguir um cônjuge. Já ocorreram casos em que um perseguidor comprou um GPS e escondeu-o no carro da vítima, para segui-la com seu receptor.

Computadores também são utilizados em perseguição. Nós aconselhamos um homem cujos papéis do divórcio já tinham sido arquivados, e agora ele tinha mais informações acerca de sua esposa do que antes. Quando o confrontei, descobri que ele tinha feito contato com ela numa sala de bate papo. Fingindo ser uma mulher simpática que oferece o ombro para chorar, ele foi capaz de descobrir o salário dela no novo emprego, quem eram seus amigos, quem ela estava vendo e o que ela e seus namorados estavam fazendo. Essas informações alimentavam seu ciúme, e foi necessário a esposa conseguir uma ordem de restrição e mudar-se para um lugar seguro em outra região para a sua própria proteção.

Certa vez aconselhamos uma mulher cuja vida estava em perigo, e ela teve que se mudar da Califórnia para o Meio Oeste. Dentro de trinta dias seu marido localizou seu novo endereço no computador. Sua primeira busca foram os registros do Departamento de Veículos Motores da Califórnia. A maioria dos estados exige que os indivíduos registrem seus veículos e transfiram suas licenças num período de 30 dias da mudança para outro Estado. Esse homem também foi capaz de buscar e encontrar o endereço dela por meio de uma empresa de utilidade pública.

Estão listadas abaixo algumas das buscas que um cônjuge pode utilizar para encontrar o outro, que se mudou para um lugar seguro. As vítimas deveriam estar conscientes e usar cuidados extremos, quando necessário, para manter seu paradeiro em segredo.

- Departamento de Veículos Motores
- Empresas de utilidade pública
- Número do Seguro Social
- Serviço postal dos EUA
- Companhia Telefônica
- Agências de cartão de crédito
- Autoescolas

A Perseguição é a maneira mais difícil de poder e controle total de se lidar, uma vez que a lei não pode intervir até que o dano tenha sido causado. Recomendamos que a vítima de perseguição procure uma "ordem de proteção" ou uma "ordem de afastamento". Se um desses estiver de posse da vítima e o perseguidor se recusar a cumpri-lo e continuar ligando, a vítima deve conseguir uma secretária eletrônica que grave as ligações não atendidas e arquive a gravação. Se o perseguidor dirige até sua casa ou trabalho ou segue-a na sua rotina diária, ela precisa responder e gravar cada conversa com o departamento de polícia, perguntando nomes e números para registrar a ligação na fita. Isso deveria incluir o tempo e a data da infração. Lá no papel deve constar uma notificação extensiva para a proteção da vítima.

Abuso Emocional

Acontece quando um homem deixa a autoestima da mulher lá embaixo e faz com que se sinta mal consigo mesma. Ele pode xingá-la. Pode tentar fazê-la pensar que é louca. Ele brinca com a memória dela. Seu comportamento geralmente é controlador, talvez até a ponto de não permitir que ela tenha amigos.

Em primeiro lugar, o controle pode parecer um interesse verdadeiro. Se a mulher procede de uma situação familiar em que suas necessidades não foram satisfeitas, ela pode estar particularmente vulnerável. Um homem entra em sua vida e deseja envolvê-la. Ele pode fazer o pagamento de um carro para ela ou talvez comprar um móvel. Ele liga várias vezes ao dia para o trabalho dela, e ela sente que pela primeira vez existe alguém que a ama. Ela não reconhece os sintomas de um homem controlador, que é imaturo e tem potencial para abusar dela. Por causa da negligência de sua família de origem, ela vê toda a atenção dele como amor. Enxerga isso como conexão. Ela considera uma bênção. É maravilhoso sentir que você tem alguém para pagar suas contas, que se importa com sua casa e seus móveis o suficiente para lhe enviar flores ou lhe dar 50 reais.

Logo eles se casam, e ela não tem mais direito de receber nem 3 reais para comprar itens pessoais. Tudo isso faz parte do jogo. No momento em que ele se une a ela (isto é, quando se casam, ou passam a morar juntos ou ter relações sexuais), ele a domina. Então, ele muda. O que a levou a esse relacionamento foi o sentimento de amor e interesse, no entanto, tudo isso se transformou numa desgraça, da qual ela não consegue mais sair. Ele faz com que ela se sinta refém, dando-lhe afeto somente debaixo de certas condições.

Ela pode ter suas necessidades físicas suprimidas, como alimento e sono, e pode ser privada de desenvolver sua identidade ou autonomia. Ele exige que ela supra cada necessidade dele e satisfaça cada uma de suas fantasias.

Ameaças

Algumas vezes o homem ameaça sua companheira dizendo que vai terminar o relacionamento. "Você é muito sortuda de me ter", ele declara. "Você vai descobrir que é a pior coisa do mundo viver sem mim." Ela entende isso como uma ameaça porque ele tem feito com que ela fique totalmente dependente dele. Essa dinâmica é chamada de abandono de aprendizado.

Se essa técnica não for bem-sucedida, o homem pode intensificar os esforços. Ele declara que fará alguma coisa para machucá-la emocional ou fisicamente. Ele pode ameaçá-la ou dizer que vai tirar as crianças. Pode até ameaçar cometer o suicídio. Para uma mulher no estado de abandono de aprendizado, parece que ela não tem saída. Ele ameaça levá-la às autoridades ou tirar seus recursos financeiros. Ele poderia obrigá-la a "iniciar um negócio" com a intenção de quebrá-lo ao pedir-lhe para assinar um cheque em branco, ou comprar algo no crédito de alguém ou roubá-la. Daí, ele usa isso como uma "arma" para mantê-la consigo sob a ameaça de chamar a polícia e contar o que ela fez. É claro que ela se sente sem saída.

Outra forma de controle pode vir como um resultado de questões morais. "Se você realmente me ama", ele pode dizer, "dormirá com meu amigo". Talvez ele bata nela até que ela consinta, e ele faça uma festa a três no quarto. Ele poderia então segurá-la pelo comportamento e ameaçá-la dizendo que, se o deixar, haverá uma testemunha de que ela era imoral. Ela teme que, caso se levante contra ele, as crianças serão tiradas dela para ficar só com ele.

Uma mulher que já tenha violado a lei ou se envolvido numa festa a três no seu quarto vive em constante medo porque já está resignada. Ela só se questiona se e quando o marido contará. Ela está em cativeiro, presa e controlada por ele, e sente que não pode ou não tem coragem de escapar. Numa família extremamente violenta, isso é muito comum.

Abuso Econômico

Um abusador econômico aparentemente tentará manter sua esposa longe de conseguir ou manter um trabalho. Ele geralmente a levará a pedir ou implorar por dinheiro. Ele tira todo o dinheiro que ela ganha e lhe dá uma mesada, fazendo conta de cada centavo que ela gastar.

Um homem que emprega esse tipo de abuso talvez dará a sua esposa 50 reais e lhe dirá para ir ao mercado e comprar comida para a família para as próximas semanas. Com os 50 reais à mão, suas últimas palavras ecoam nos ouvidos dela — "traga o troco e a nota fiscal". Ela tem de cuidadosamente calcular cada item. Ela esvazia seu carrinho de compras e temerosamente espera pelo total. Se for 60 reais, ela começa a entrar em pânico enquanto percebe que o dinheiro não será suficiente. Ela fica lá com uma fila atrás dela, envergonhada e nervosa com sua própria estupidez. Ela fala gaguejando com o balconista enquanto tenta descobrir o que pode ser devolvido. "Acho que não preciso disto agora." O balconista a olha nos olhos. Ela é humilhada e se sente ferida pelo olhar. Então uma voz atrás na fila deixa escapar: "Eu sempre pego a fila errada. Essa mulher idiota..." Então ela é humilhada ainda mais. Essa mulher frequentemente sacrifica suas próprias necessidades pelas necessidades e desejos de sua família. Parece que não há saída porque não há meio financeiro de se escapar.

Abuso Financeiro

Este abuso difere-se do econômico. Temos aconselhado muitos homens — e isso parece "algo tipicamente masculino" — em situações em que o abusador usa o cartão de crédito da mulher para adquirir itens somente em seu nome. Essas aquisições vão de um equipamento estéreo a carros, motocicletas, barcos, etc. Um homem comprou uma casa usando o cartão de crédito da mulher. Ele forjou a assinatura dela e reconheceu firma com a ajuda de um amigo. Então colocou a casa no nome dele e se mudou com a namorada para lá. Quando a esposa descobriu o que ele tinha feito, teve que contratar um advogado e gastar tempo e dinheiro para retificar a situação. Com frequência o resultado final é que ele se muda, mas o crédito dela fica arruinado, e ela sofre por vários anos para se recuperar financeiramente Temos também visto homens "arrancarem" todo o dinheiro que suas esposas herdaram, a fim de mantê-las dependentes financeiras.

Intimidação

Quando um homem intimida sua esposa a ponto de isto ser comportamento abusivo, ele coloca medo nela usando o olhar, as atitudes, gestos, voz alta, maldições e contínuas discussões. A mulher aprende que deve falar o que ele quer ouvir. Ela logo aprende exatamente o que ele deseja ouvir para que ela possa apaziguar e consentir com ele. Ele quer que ela o ouça com atenção total. Exige que ela o atenda. Lembre-se de que a violência doméstica pode passar de um olhar para um tiro.

Se algo provoca o temperamento de um homem que abusa pela intimidação, ele começa a gritar, encolerizar-se e a praguejar. A esposa tenta manter a paz porque está envergonhada pelo que está acontecendo. Ele está sendo imaturo, como uma criança de quatro anos tendo um acesso de raiva. Ele nunca aprendeu como resolver conflitos e está querendo arrebentar o mundo inteiro para fazer a coisa do seu jeito a qualquer custo.

Violação de Propriedade

O comportamento abusivo qualificado como violação de propriedade inclui comportamentos como perfurar paredes, quebrar pertences, e geralmente destruir bens. Surpreendentemente, o homem que escolhe essa violência está no controle de sua raiva. Ele não arremessa sua raquete pela janela da frente — são as porcelanas, DVDs ou qualquer outra coisa que seja preciosa à mulher.

Quebrar portas, socar mesas e abusar de bichos de estimação são formas de violação de propriedade. Esse homem pode até matar o animal de estimação da família, porque isso mostra a quantidade de poder que ele pensa que possui. A mensagem subconsciente da qual ele está tentando convencer seus filhos é que o pai tem poder sobre a vida e a morte — então a família sempre aguarda se e quando eles serão os próximos. (Se isso estiver acontecendo, há necessidade de uma separação, e a família deve ser levada a um lugar seguro.)

A primeira medida numa situação desse tipo de violência é a segurança da esposa e das crianças. Quanto ao homem, conter o comportamento é primário.

Abuso de Conhecimento

Um pouco de conhecimento pode ser devastador quando usado de maneira errada. Se um homem continua a negar seus erros e sempre culpa sua cônjuge, um conselho que ele recebe pode se voltar contra ela.

Um exemplo disso seria: o homem lê um livro sobre TPM. Ele pesquisa o assunto e a ataca com seu conhecimento ao dizer: "Se não fosse pela sua TPM, teríamos um bom casamento. É tudo culpa sua. Vá buscar ajuda agora. Eu não preciso de conselho". Novamente, ela é responsável por todos os problemas dele, e ele não tem empatia pela situação dela. Ele pode ir ao aconselhamento, uma ou duas vezes, contando ao aconselhador os problemas dela. Ela fica na terapia, pensa que é louca, e ele vence de novo.

Um homem como esse frequentemente procura um aconselhamento do qual possa zombar. Ele lê livros de autoajuda e adapta a informação ao seu cônjuge. Algumas vezes ele encontra um pastor que fica ao seu lado na questão da submissão e, por conseguinte, bombardeia sua esposa com aquela informação. Ele também pode usar opiniões de amigos desqualificados para controlá-la. A frase pode soar da seguinte maneira: "Até sua amiga Linda e seu marido concordam comigo". Por último, ele vai a sua própria família — especialmente sua mãe — e então repete as opiniões e sugestões para abusar e controlar a esposa.

Abuso Médico

Recebi um e-mail recentemente que dizia: "Enquanto eu estava pesquisando no seu site, algo aconteceu. Não há uma seção para abuso médico de poder e de controle de instrumento. Muitas vezes um cônjuge que abusa fisicamente quebrará um osso e não deixará a mulher ir ao médico. Tenho conversado com algumas vítimas cujos dedos dos pés e mãos quebrados, e outros ferimentos, foram curados sem que elas visitassem um médico. Elas suportam a dor porque sabem que o médico é obrigado registrar ferimentos, ossos quebrados, estupros domésticos. A violência doméstica é um crime.

Por outro lado, está uma mulher que sofre com problemas médicos não necessariamente causados pelo abuso, mas são reais. Ela então é culpada, atormentada e abusada sem nenhuma simpatia ou empatia. Ele não tem paciência para as necessidades dela e as vê como prejuízo dos seus direitos, tempo e dinheiro.

Judy: *Uma vez, quando estava pintando um quadro, vi um pequeno anúncio que eu tinha perdido. Desci da escada e coloquei um pé na mesa para me equilibrar. Levei um tombo, batendo na quina da mesa. Eu estava cheia de dor, mas não tinha um carro, então esperei até Paul chegar em casa à noite. Contei-lhe o que havia acontecido e que achava que realmente tivesse me machucado porque a dor estava piorando. Ele gritou comigo e disse que eu era uma idiota porque não deveria ter sido tão estúpida para subir na mesa primeiro. Pedi-lhe para me levar à emergência, e ele ficou nervoso por eu não ir andando para o hospital. Ele estava cansado de trabalhar o dia todo, e isso era uma inconveniência. Finalmente o convenci a me levar à emergência, e descobri que havia quebrado cinco costelas. Paul não poderia ter se importado menos, para ele eu tinha desperdiçado aquela noite.*

Cavaleiro Silencioso

Alguns homens usam o silêncio como uma arma. Um homem que faz isso não pode ou não se comunica e frequentemente carece de habilidades ou mecanismos para expressar suas emoções. Geralmente ele paga as contas, vai à igreja e é visto pelos outros como um cristão firme. É o tipo de homem coerente no trabalho e com os amigos. Não parece um homem nervoso ou violento. Ele nunca despreza, machuca ou destrata sua esposa. Ela não vive com medo.

De vez em quando, no entanto, ela fica deprimida. Ela pergunta a si mesma: *O que há de errado comigo? Eu tenho um bom marido e uma boa vida. Por que estou tão deprimida? Meu marido me trata bem. Ele paga as contas, é estável, firme, cristão. Por que tenho esses sentimentos dentro de mim?* Os amigos dela lhe dizem que ela é afortunada por ter um marido tão bom; e ela ainda sente que lhe falta algo.

Pelas leis naturais, quando há alguma coisa no universo masculino, ele procura culpar alguém, algo ou uma circunstância.

Uma mulher, no entanto, é mais sensível e olha para dentro de si à procura de respostas. Ela começa a se questionar: *O que há de errado comigo? Por que ele não presta atenção em mim?* Ela sabe que está perdendo algo, mas não reconhece o que é. Ela não tem consciência de que está sendo enganada por envolvimentos emocionais.

Ele não tem se envolvido na vida dela. Ela vê a falta de interesse como uma indicação de que é indigna da atenção dele. É difícil para ela descrever. Ela deve perguntar a si mesma novamente: *O que há de errado comigo?* Ela começa a procurar uma resposta criticando seu corpo. *Será que estou muito gorda? Ou muito magra? Será que meu corpo é feio? Meu nariz é muito grande? Estou ficando enrugada? Preciso de uma cirurgia plástica?*

Depois de se torturar por sua aparência, ela começa a analisar sua sexualidade. *Talvez eu não responda adequadamente. Ele pode não gostar do jeito como procedo. Eu não o satisfaço. Ela então olha para fora de sua pessoa. Será que é a casa? Será que é a arrumação? Ou minha comida? Será que ele acha que lhe dei filhos feios? Talvez eu não tenha lhe dado os filhos que ele queria.*

Após viver com essas dúvidas por um bom tempo, ela desenha uma linha no topo de todas as questões e responde: *É tudo culpa minha*. Ela não faz isso de modo consciente; no entanto, assume que cada dúvida que possui sobre si mesma é verdade. A falta de resposta e vínculos emocionais lhes asseguram que ela é o problema.

Tenho perguntado aos homens: "Como vocês se relacionam emocionalmente com sua esposa?" Eles não conseguiam me responder. Não há um curso chamado "101 maneiras de conquistar intimidade", com a finalidade de ensinar os homens a se relacionarem emocionalmente.

Se um homem se enquadra na categoria de ser um "cavaleiro silencioso" e o casal procura o pastor ou um conselheiro, geralmente a esposa diz: "Amamos um ao outro, estamos comprometidos um com o outro, mas está faltando algo".

O marido frequentemente dirá: "Está tudo bem. Ela deve estar com depressão".

O pastor pode dizer: "Há algum abuso físico na relação?"

Ela responde: "Não. Ele nunca agiu de modo inadequado para comigo de jeito nenhum".

"Há algum abuso emocional?"

"Não, nunca." Não há nada na lista de poder e controle que faça sentido. O pastor então lhes encaminha para um terapeuta. Eles ainda não encontram respostas. O terapeuta geralmente quer ver a mulher outra vez para aconselhá-la. Ela uma vez mais acha que está louca, que é sua culpa e seu problema.

Algumas vezes aconselhei grupos para trabalhar suas habilidades para se relacionar emocionalmente. Eu pergunto-lhes: "Como vocês fazem amor com suas esposas?" Suas respostas sempre terminam com sexo. "Como vocês fazem amor emocionalmente com suas esposas?"

"Eu pago as contas e compro aquilo que ela precisa."

Eles não sabem o que significa investir emocionalmente em suas esposas. Quando um homem se torna consciente das necessidades emocionais de uma mulher, inicia-se o processo de aprender a olhar no olho, ouvi-la e valorizar seus sentimentos. Ela tem sua atenção exclusiva.

O próximo passo é ensiná-lo a tocar seus sentimentos. Nada une mais um casal do que o homem compartilhar seus próprios sentimentos e conhecer suas próprias fraquezas. Quando ele confia nela o suficiente para compartilhar seus sentimentos, sonhos e objetivos, ela sabe que o fator confiança entre eles está crescendo. Ela se sente digna porque no relacionamento deles ele tem investido tanto num ouvido para ouvir quanto num toque não sexual.

Uma razão para as mulheres evitarem se aproximar de seus maridos para um simples abraço é porque muitos o interpretam como um sinal para o sexo. Quando um homem aprende que um abraço pode ser simplesmente um sinal de proximidade e que sua esposa deveria ser capaz de pedir um abraço e não ser apalpada, o casal alcançou um novo nível de estreitamento emocional. Quando ela sabe que ele a ama pelo que ela é, sem gratificação física, sente-se ligada a ele.

Um homem então pode aprender que a maior intimidade em um relacionamento está na descoberta de si mesmo. O relacionamento se torna seguro, sem medo de rejeição.

Isolamento

Quando um homem controla o que sua esposa faz, quem ela vê, com quem conversa, aonde ela vai, esse comportamento é classificado como abuso por meio do isolamento. Ele provavelmente restringe suas conversas ao telefone, ele as ouve. Ele pode tentar isolá-la da família. Ele insiste em saber onde ela está em todo o tempo, e ela deve ser/estar disponível para estar com ele a qualquer momento.

Nada une mais um casal do que o homem compartilhar seus próprios sentimentos e conhecer suas próprias fraquezas.

Mulheres que sofrem abuso dessa maneira geralmente são proibidas de ter interesses fora de suas casas, e isso é enfatizado pelas frequentes mudanças — de casa em casa e de cidade em cidade. Ele pode até levá-la para bem longe da família para que ela não tenha qualquer apoio. Para mantê-la no isolamento, ele pode deixá-la sem qualquer transporte ou até sabotar o carro dela. Geralmente ele não permite nem que ela abra o e-mail.

Usando as Crianças

Um marido pode fazer sua esposa se sentir culpada em relação a vários aspectos da educação dos filhos, especialmente se o comportamento dele inclui usar as crianças para abusar da mãe. Ele pode usá-las para transmitir mensagens indiretas a sua esposa.

Se o casal não é mais casado, ele pode usar as visitas (ou a falta de) como assédio. Ou talvez ele use os filhos para influenciar. Mesmo se o casal tiver se divorciado e se casarem com outras pessoas, onde há crianças e dinheiro envolvidos, o abuso pode continuar.

Há casos em que o pai divorciado pegará as crianças para o fim de semana e retornará no domingo à noite com elas superagitadas. Isso leva a mãe na maior parte da semana a se vingar nelas, e então o ciclo se reinicia na quinta à noite. Nunca há um momento de paz, porque um cônjuge usa as crianças para controlar a vida do outro.

Humilhação

Uma forma de abuso que inclua certos tipos de humor, humilhação pública, ofensa verbal e toques inapropriados em público é comportamento abusivo de humilhação. Por tocá-la inapropriadamente em público, o marido está permitindo que o mundo saiba que sua esposa lhe pertence. "Ela é minha possessão. Eu a domino. Ela é parte do meu inventário."

Sem dúvida alguma, ele desprezará sua aparência, conhecimento, serviço de casa, comida, e autodignidade. Ele provavelmente insistirá que ela se vista como ele. Com esse tipo de abuso, o homem é inseguro e quer provar que ela é dele. Ele pode ver sua esposa como um troféu e, portanto, desejar que ela vista roupas sensuais, mesmo se isso for degradar ou humilhá-la. A ironia é que, depois de jogá-la para baixo, ele desejará dormir com ela.

Abuso de Responsabilidade

No abuso de responsabilidade o marido faz sua esposa se sentir responsável por tudo na vida dele — como contas e filhos. Ele pode tentar cometer o suicídio para fazê-la se sentir responsável até por sua vida. Ele poderia até interferir no papel da esposa de educar, alimentar e cuidar. Geralmente, nessa situação, o marido insistirá para que a esposa tome decisões, mas a punirá pela decisão mesmo que esteja correta.

Abuso Espiritual

Palavras como "submissão" e "obediência", tanto quanto outras que possuem linguagem bíblica, são tiradas do contexto pelo homem que abusa espiritualmente de sua esposa. É provável que ele tenha alta consideração pelo sistema patriarcal e diga coisas como "Deus me dá o direito de fazer isso. Eu sou o chefe da família. Tenho todos os direitos do mundo, e você, nenhum".

Certa vez conheci um homem que era tão abusivo fisicamente e tóxico espiritualmente que, no sentido literal, batia em sua esposa com a Bíblia. Ela se mudou e conseguiu uma ordem de restrição contra ele. O marido quebrou a casa, pegou a Bíblia grande da família e machucou a esposa na cabeça e disse: "O pastor falou que essa família estaria intacta se você estivesse debaixo de uma submissão total como a Bíblia ensina". Ele citou a Escritura para ela e depois a colocou no hospital com duas vértebras deslocadas. Isso é abuso espiritual. O pastor, talvez de modo inconsciente, estava dando ao marido permissão para abusar de sua esposa espiritual e fisicamente. Mulheres que têm experimentado esse tipo de abuso com frequência sentem que Deus ama os homens, no entanto, essas mulheres não têm lugar no mundo. Judy, minha própria esposa, lutou pelo relacionamento dela com Deus por causa da maneira como abusei dela física e espiritualmente. Eu a agredia e meia hora mais tarde estava atrás do púlpito pregando. Quando ela estava na maior necessidade, procurou aconselhar-se na igreja que estava frequentando, mas não conseguiu um encontro com o pastor porque era divorciada. O conselheiro cristão também não a ajudou porque ela não tinha dinheiro. Onde estamos no Corpo de Cristo quando mulheres machucadas vêm nos pedir ajuda?

Abuso Sexual

Homens que abusam de suas mulheres frequentemente querem fazer sexo com elas logo depois de agredi-las. Temos um ditado: "Violência doméstica não é estímulo sexual preliminar". Sob o patrocínio de amor e fidelidade dela, um homem abusivo sexualmente pode insistir que sua esposa realize atos sexuais bizarros contra a vontade dela. Algumas vezes ele ataca sexualmente partes do corpo da esposa ou a trata como um objeto sexual. Ele pode também se abster de sexo ou interromper o sono dela para fazer sexo. Se ela se recusa, ele tenta encontrar alguém que satisfaça suas fantasias. Ele pode forçá-la a fazer sexo, cometer estupro marital e ser extremamente ciumento.

Quando definimos anteriormente o abuso por "ameaças", mencionei a situação do marido que pede à mulher para dormir com outra pessoa. Isso lhe dá poder no caso de ela falhar em fazer o que ele deseja. Isso também é considerado abuso sexual.

Um homem assim pode ficar tão nervoso que pode machucar sua esposa com o punho fechado nas áreas mais sensíveis do corpo dela. Ele pode beliscá-la e apertar seus seios até ficar insuportável. É claro que isso pode causar danos permanentes.

Semanas antes de terminar o manuscrito deste livro, um homem foi capturado no Colorado por amarrar sua esposa e queimá-la com um maçarico de butano. Considere Glória, cujo marido colocou ácido nos seus produtos de higiene pessoal e queimou-a de uma tal forma que ela nunca mais pode ter relações sexuais de novo. É muito comum para um homem assim desfigurar a área genital de sua esposa. Ele pensa: *Se eu não posso tê-la, eu vou "arrumá-la" para ninguém desejá-la se ela tentar conhecer outro homem.*

Usando o Privilégio Masculino

Um homem que trata "sua mulher" como uma empregada, toma as decisões importantes e age como "o rei do castelo" está exercendo um tipo de abuso conhecido como privilégio masculino. Você tem uma cadeira de balanço em sua casa? Quem tem controle remoto em sua casa? Isso é mais do que algo tipicamente masculino.

Um dos nossos diretores da *Life Skills* (Conhecimentos da Vida), um veterano da lei de 24 anos, estava recentemente dando uma oficina em que discorria a respeito do privilégio masculino. Um dos trabalhadores voltou na manhã seguinte e disse-lhe:

> Tenho que partilhar minha história com você. Eu tenho uma cadeira de balanço. Fui para casa a noite passada e disse a minha esposa para queimá-la, dá-la, sentar, pular nela, fazer o que quisesse, porque eu ia mudar. Vou passar algum tempo com minha família.
>
> Minha rotina era ir exausto do trabalho para casa, sentar na minha cadeira, ligar a TV, pedir aos meus filhos para me trazer uma bebida e esperar minha esposa me trazer o jantar. Geralmente

> eu adormecia na cadeira, acordava depois que todo mundo já tinha ido para a cama, levantava para ir para cama, onde terminaria minha noite. Na noite passada, jantei com meus filhos e esposa, e foi maravilhoso. Eu estava na cozinha. Disse a minha esposa que ela poderia fazer o que quisesse com a cadeira. Tivemos um momento maravilhoso, exceto pelos dois pastores alemães que, pelos últimos sete anos, colocavam-se ao lado da cadeira enquanto eu ficava lá assentado. O pai não estava na cadeira dele na última noite, então, os cachorros ficaram confusos. Se os cachorros ficaram confusos pela mudança na minha rotina, o que minha família não vinha sentindo nessa área de privilégio masculino?

Nem todos os abusos são cometidos por homens. Durante os 23 anos de existência da *Life Skills*, temos descoberto que uma mulher que sofreu abuso quando criança ou tem sido vítima, sentirá que se o abuso funcionou para ele, talvez funcionará para ela também. Ela mantém o velho ditado "combata o fogo com fogo". A mulher então luta para sobreviver; ela é chamada de "vítima reativa". Porém, onde há alguém disposto a aprender, esses comportamentos são mutáveis. Há esperança.

Capítulo 3

TUDO ESTÁ NA SUA CABEÇA

É importante compreender a neurobiologia do cérebro e o seu funcionamento. Há no mínimo cinco coisas que podem acontecer a uma criança que provocará atraso em seu desenvolvimento. Uma criança pode ser traumatizada pela rejeição, incesto, molestamento, abuso emocional ou abuso físico. Listei-os em ordem de gravidade. As feridas provenientes desses traumas provocam mudanças na neurobiologia da criança.

Um dos meus mentores, Eldon Chalmers, passou 39 anos mapeando o cérebro, observando a estrutura química do cérebro e como ele reage quando traumatizado. Ele estudou como o cérebro funciona quando alguém está feliz, triste ou experimentando outras emoções.

Ele partilhou essas informações comigo anos atrás, e comecei a usar suas descobertas em meus estudos, embora tenha sido muito criticado naquela época. Não permiti que as críticas me parassem, e nos últimos três anos a cinco anos tem sido tremenda a pesquisa nesta área. Bessel Van Der Kroke escreveu um livro muito útil sobre o assunto, intitulado *Traumatic Stress* (Estresse Traumático).

O cérebro trabalha como um computador em miniatura. Computadores são instalações elétricas rígidas — placas de circuito impresso. O cérebro é constituído de impulsos eletroquímicos. Isso exigiria uma construção de cem armazéns altos e do tamanho do Estado do Texas para abrigar um computador que pudesse reproduzir alguma coisa do que o cérebro humano faz. O cérebro é "ativado pela voz", então não precisamos de teclado. A informação penetra no cérebro por meio do som, visão, cheiro, toque e sabor.

Nosso computador nunca esquece; é tão magnificamente criado que cada palavra pronunciada é retida. Nosso computador mantém um arquivo de cada palavra falada desde os primeiros sons que pronunciamos enquanto bebês. No Salmo 139, a Escritura nos declara que Deus sabe cada palavra que falamos no dia e ainda mais; Ele a conhece antes mesmo que a pronunciemos. Pense nisso.

Deus diz que se amaldiçoamos alguém, amaldiçoamos a nós mesmos. Se abençoamos alguém, abençoamos a nós mesmos. Em outras palavras, se eu falo uma bênção ou maldição para alguém, aquilo que sai da minha boca vai não somente para outra pessoa, mas também retorna ao "computador" de quem a proferiu.

Por causa da nossa natureza pecaminosa e das feridas da infância, temos sido programados negativamente. Quando ficamos nervosos e temos acessos de raiva, não tendo a consciência do quanto estamos presos, algo é suscitado dentro de nós, e falamos, amaldiçoamos, reclamamos e murmuramos. Essa é razão por que a Escritura fala muito sobre a palavra falada. O que dizemos receberemos.

Um ponto que não podemos esquecer é que se alguém abusar de nós, temos o direito de removermo-nos dessa situação. Temos o direito de aconselhar, compartilhar o que está acontecendo — mas não devemos amaldiçoar o abusador. A Escritura afirma que você deve abençoar aqueles que o usam de modo malicioso. É por isso que a palavra falada é tão importante, pois quando a pronunciamos, a ouvimos também. Quando falamos tempo suficiente, o subconsciente — ou coração — se submete àquilo que é dito. A mente funciona de tal modo que, ao recebermos uma informação, ela a entende antes de recebê-la.

Se você foi ferido na infância, sua percepção é de que seu mundo não é seguro. Outra percepção é que você é desleal, imperfeita, suja, defeituosa e diferente. Eu às vezes uso a ilustração do filtro. Entrar no seu computador é como entrar num sistema de filtro que reúne todas as injustiças, todas as feridas da infância e as mantém lá dentro de uma coluna de violência. Essa coluna, até que esses problemas sejam tratados, manterá acumulada a injustiça, as feridas, a rejeição e tudo o mais que for negativo. Ao conservar tudo lá, esses elementos formarão a sua percepção — e se tornarão a sua realidade. Qualquer verdade passará por esse sistema de filtragem teimoso.

Vamos usar o exemplo de uma mulher que sofreu abuso durante a infância e veio até a mim para ser aconselhada. Eu posso dizer-lhe: "Que bonito o seu suéter". Sua resposta imediata será: "Não tem nada de especial, eu apenas consegui um desconto numa loja". É difícil para ela receber um elogio por causa dos prejuízos anteriores da infância. Se eu disser algo positivo ou elogiá-la, ela questionará minha agenda. Por causa do que experimentou na infância e interrupção de seu desenvolvimento emocional no estágio em que as feridas ocorreram, ela regressa à infância. O que eu disse passa por seu sistema de filtro, e ela não ouve a realidade. Ela ouve sua percepção. É importante lidar com isso. Aqui está um exemplo de um dos períodos mais traumáticos da minha vida.

Eu estava com treze anos de idade quando meu pai assumiu um pastorado numa pequena comunidade. No meu primeiro dia no ginásio em minha nova escola, fui à aula de ciências. O professor perguntou se havia alguém que gostaria de ajudar no estúdio fotográfico. Eu estava interessado em fotografia, e era um aluno novo, então me ofereci. Eu não sabia o drama que estava esperando por mim atrás daquelas portas. Só que enquanto eu rodava o filme no tanque de revelação, o professor estagiário me molestou. Eu já tinha sido molestado, então congelei. Eu não conseguia me mover. Quando saí daquela sala escura, pensei que cada aluno da turma e o professor sabiam o que havia acontecido. Fui humilhado além das palavras.

Por conta da minha vergonha e do fato de ser molestado, comecei a agir com violência e raiva. Quando ia à casa dos meus amigos, procurava oportunidades de passar pelos móveis da casa e outros pertences dos pais deles procurando por um revólver. Eu tinha certeza de que se encontrasse um, levaria para a escola e mataria aquele estagiário. Eu sabia o que havia acontecido comigo, no entanto, ninguém mais sabia. Estava numa crença opressiva quando meu pai me disse que íamos nos mudar.

Em nossas comunicações, ouvimos através de nossos filtros — nossas percepções daquilo que alguém está tentando nos dizer. A verdade não é recebida como verdade e realidade — é recebida como percepção.

No exemplo da minha vida, a comunicação não poderia atingir minha culpa, vergonha e humilhação por causa do que havia acontecido comigo. O cérebro separa a informação através do próprio sistema de filtro. Os dados de entrada são percebidos antes de serem recebidos, então o cérebro percebe, recebe, separa, analisa, compara, cataloga, arquiva, restaura, utiliza, determina e escolhe. Quando o sistema de filtro se enche de feridas traumáticas, que seguem nossas percepções, nos conduz a partir dessa visão da realidade. Aquele que é ferido neste caminho tenta comunicar, amar, resolver conflitos e gerenciar sua raiva como um adulto normal e saudável faz. A pessoa sabe o que é certo e o que deveria ser feito, mas não consegue enxergar a realidade ou a verdade e não pode resolver seus conflitos, porque não consegue atravessar o sistema de filtro. A pessoa está limitada de duas maneiras. Ele ou ela não vê a realidade — somente a percepção de tudo que acontece e coisas ditas em conversa — e a pessoa não consegue comunicar a verdade ou sentimentos. Porque aquelas percepções não são trabalhadas e os conflitos não são resolvidos, a pessoa fica frustrada e vive com raiva. É assim que o cérebro reage.

A amídala é uma glândula localizada no cérebro e está anexada ao hipocampo, ainda amarrada diretamente ao tálamo. A amídala é do formato e do tamanho de uma amêndoa, aproximadamente 4 centímetros dentro de cada têmpora. A amídala está presa ao tálamo, que é como uma estação de trem. Quando o trauma ocorre, o tálamo responde automaticamente ao perigo ou ameaça e assume o controle da situação pela eliminação de todos os processos de pensamento, literalmente sequestrando o cérebro, e nós então reagimos. Portanto, há um tiro de adrenalina que sai de dentro do corpo e levanta a pressão sanguínea, gera medo, tristeza, e alerta o instinto de sobrevivência. Esta é a função da amídala.

Vamos observar dois cenários:

Primeiro, vamos usar como um exemplo um garotinho que nunca tinha sido ferido, está confiante e cuja vida está indo razoavelmente bem. O "conjunto de programas" diz à criança inconscientemente: "Você tem valor; você é digno de aceitação; você é digno de amor; de ser alimentado; de ser cuidado; tocado de maneira adequada".

Em seguida, vamos pensar sobre um garotinho que tem sido rejeitado sexual e emocionalmente ou sofrido abuso físico. Essas feridas produzem impotência, e por causa disso, essa criança encontra-se numa situação em que não percebeu acontecer e não pôde controlar. Essa criança está agora numa situação que é estranha ao conjunto de programas do seu cérebro. Nesse ponto, a criança sabe a diferença entre um toque apropriado e inapropriado. O subconsciente sabe a diferença e pode dizer a diferença entre algo que não é certo e algo certo, embora ela não esteja consciente do que está acontecendo. É assim que o cérebro humano se protege. Essa criança está sofrendo abuso e fica presa na defensiva. Ela pensava que seu mundo era seguro e todas as pessoas deveriam respeitá-la. Quando o incidente abusivo ocorreu, foi diretamente contra tudo que existia no "software". Isso é um trauma.

O trauma cria uma simples conexão neuronal sináptica diretamente com a amídala. É como um poder que surge e produz medo. Desse ponto em diante, pelo resto da vida da criança, qualquer evento que, mesmo remotamente, se assemelhe àquele trauma levará a uma resposta da amídala. A criança pode andar numa casa escura num dia de sol, e a escuridão do lugar estimulará a memória do trauma. Aquela resposta do subconsciente levará a criança a ficar com medo de algo de que ela não está consciente, e aquilo estimulará a amídala.

O tálamo recebeu o comando de entrada e diz a ele aonde ir. Se estou indo bem numa conversa com alguém e experimentando alegria e paz, todos os comandos de entrada provenientes disso passam para o tálamo, que os encaminha ao lóbulo frontal. Este é o lugar onde pensamos, sentimos emoções, decidimos, escolhemos, comunicamos e construímos intimidade. Se algo que transmite a sensação de uma situação insegura acontece, emite o sinal de perigo que vai ao tálamo e o tálamo encaminha até a amídala instantaneamente. A amídala é uma glândula no cérebro que produz um comportamento reativo para que reajamos instantaneamente — sem pensar. A amídala literalmente sequestra o processo de pensamento do cérebro, e a criança não está nem consciente de sua reação muitas vezes.

Quando o garotinho que citamos como exemplo tiver 50 anos, se algo provocá-lo, ele reagirá antes de pensar. Porque ele foi paralisado de medo ou atrasado na infância, a amídala sequestra o processo de pensamento do cérebro, e ele retorna à sua infância emocional.

A amídala então envia o sinal à glândula da adrenalina, que se encontra acima dos rins. Você já esteve perto de sofrer um acidente e saiu da estrada com sua cabeça em parafuso e suas costas doendo. Suas costas doem por causa da adrenalina instantânea. Ela não surge numa base diariamente porque fomos feitos para viver em paz e resolver nossos conflitos. Adrenalina nos foi dada para, quando estivermos em perigo, lutarmos contra a morte ou fugirmos. Essa é uma técnica de sobrevivência colocada no ser humano, e é chamada de síndrome de luta/fuga.

Essa síndrome trabalha na saúde emocional das pessoas. Todavia, as glândulas da adrenalina masculinas feridas na infância eliminam adrenalina, e o indivíduo é paralisado e não pode lutar nem correr. O atraso no desenvolvimento ou as feridas da infância paralisam o instinto de sobrevivência.

Tanto o abuso sexual, o abuso físico, quanto a rejeição podem atrasar o desenvolvimento e reinstalar a amídala. Porém, quando algo acontece e o mundo não parece seguro, o indivíduo vítima de abuso fica paralisado e emocionalmente retorna ao ponto do trauma.

Quando esse menino foi ferido, esse trauma foi instalado na amídala. Quando ele sofre outra ferida, ela passa pela mesma conexão, e quando ele é ofendido, passa pela mesma conexão também. Parece muito com uma corda esticada ao longo do caminho pela qual a conexão é exposta. É então ligada diretamente aos sentidos, aos tálamos e diretamente à amídala, e leva o menino a reagir por causa do instinto de sobrevivência.

O Criador nos deu livre-arbítrio, e podemos mudar a conexão do cérebro pela escolha de nossa vontade, no entanto, a mudança leva 36 meses. Durante esses meses desenvolveremos respostas antecipadas que se transformam em controle de impulsos. A cura não é somente algo emocional — é literalmente reconectar o cérebro. E isso leva tempo. O tálamo é a estação de trem que expulsa a nossa dor e nossos impulsos através do hipocampo dentro da amídala, e a amídala está à direita para reagir com o intuito de que possamos sobreviver.

O corpo tem memória celular. Pode ser uma imagem que vemos (visual); o que ouvimos (áudio); ou pode ser como somos tocados. Trabalhei com uma cliente, cujo pai a tinha molestado quando ela tinha 6 ou 7 anos. Ao fazer isso, ele colocou seu punho nas pequenas costas dela. Cinquenta anos depois, toda vez que seu marido a tocava nas costas, ela desmoronava. Ela me perguntou uma vez: "Chegará algum dia em que o homem que amo poderá me tocar nessa parte sem que isso cause uma sensação bizarra em mim?" Ela reagia dessa maneira por causa da programação do seu subconsciente — a base de dados.

Tato, sabor, cheiro, som e o que vemos, tudo pode provocar e então sequestrar o lóbulo frontal do cérebro. O tálamo recebe o estímulo e desvia-o para a amídala. A amídala expulsa a adrenalina, e reagimos com raiva, violência e medo por causa da nossa técnica de sobrevivência. Medo e raiva nos revelam que algo está errado em nosso mundo, e isso nos leva a entrar no modo de sobrevivência. Se fomos feridos quando crianças e nunca resolvemos as questões, o instinto de sobrevivência é o modo como reagimos a tais problemas. Isso produz raiva e medo. Queremos revidar e nos proteger espiritual, emocional e fisicamente.

Não obstante, há um processo de cura e uma maneira de redirecionar o modo como o cérebro funciona. Podemos aprender a reconectar em torno de nossas questões, adiar nossas respostas e sermos capaz de usar as habilidades de pensamento do lóbulo frontal e escolher como agir em vez de reagir.

Trauma nos assusta tanto que ele grava o simples conector de fios de nossos sentidos na própria amídala. É importante reconhecer o que acontece como resultado de termos sido aterrorizados quando criança.

O cérebro armazena o trauma de maneira diferente da que diariamente faz com os eventos emocionais. Coisas felizes e coisas tristes entram no nosso cérebro de modo diferente das memórias traumáticas. Isso é chamado de narrativa da memória. Memórias traumáticas se alojam num grupo e vão diretamente para o cérebro numa cor vívida. Memórias normais têm uma tendência a enfraquecer, mas as traumáticas ficam gravadas no cérebro profundamente e de tal modo que quando algo alerta aquela memória, ela se torna intrusiva. Ela pode ser recordada muitos anos mais tarde com a mesma intensidade emocional que experimentamos quando o fato ocorreu.

Pesquisadores têm feito uma varredura e descoberto que, quando uma memória traumática é ativada, o cérebro se acende de tal modo como se aquele evento tivesse acabado de acontecer. Isso acontece por causa das memórias intrusivas que se tornam uma crise para nós. Quando a memória intrusiva ocorre e não é resolvida ou é colocada na reserva do subconsciente, ela ativa a amídala na esperança de que o incidente traumático seja tratado e resolvido naquele momento. Você não pode parar uma memória traumática. Você pode estar pensando sobre uma festa de aniversário que teve quando era criança, e no meio desse pensamento sua mente voar rapidamente para outro lugar. Isso é uma memória normal. Temos a escolha de trocar de uma memória para outra. Se algo é ativado em nós, não podemos interromper essa memória intrusiva de sair. Ela vai sair, levantar sua pressão e editar completamente todas as emoções. Pelo fato de ela ser intrusiva, tornamo-nos reativos a ela. Lembre-se, a memória narrativa é normal e a traumática é intrusiva. Isso porque um excessivo número de anos de memória traumática, intrusiva, queima nossos dispositivos e podemos explodir em raiva e violência. A amídala é basicamente programada para responder ao perigo e nada mais, quando somos feridos e surpreendidos quando crianças, aquelas memórias entram para um banco de memórias e não lidamos com elas.

As feridas levam a amídala a fortalecer o mecanismo de disparo. Quando somos feridos novamente, o mecanismo de disparo se fortalece ainda mais. Quando continuamos nos magoando por vezes seguidas e nada é resolvido, as múltiplas feridas na infância mantêm acionado o mecanismo de disparo, e o fusível torna-se extremamente curto. Na fase adulta parece que qualquer coisa pode nos enganar, então nos precipitamos, nos drogamos, ficamos nervosos e começamos a gritar, a nos enfurecer e reagir.

Crianças frequentemente são feridas abaixo da idade da comunicação e abaixo da fase da aquisição da linguagem. Tenho lidado por anos com homens que realmente são homens de Deus, alguns deles pastores e pessoas de alto nível de negócios, que perguntam por que eles lutam contra o praguejamento, a raiva e a ira. Eles amam a Jesus mais do que qualquer coisa e entregaram suas vidas a Ele, mas, quando dão lugar à ira, começam a praguejar. Descobri que se você foi ferido abaixo da idade da linguagem e está traumatizado, não tem os mecanismos para lidar com a resolução do problema ou a expressão do que está acontecendo. Isso o envia ao modo de sobrevivência, e tudo o que você pode fazer é praguejar e irar-se.

Como mencionei anteriormente, "se você está disposto a aprender, tudo é consertável". Aprendemos em nossa pesquisa que pessoas podem lidar com aquilo que podem compreender e o que elas não entendem leva-as à loucura. É o desconhecido na vida que conduz os comportamentos. Lembre-se, quando você lê sobre isso ao perceber que as atitudes e comportamentos com os quais lutamos estão enraizados ou foram originados nas feridas da primeira infância, o cérebro começa o processo de recuperação. O cérebro arquiva a dor em pastas apropriadas no "software" e começa a resolução dos conflitos da infância. Com a informação adequada no lugar e sem ocupação, o subconsciente então entende que não estamos defeituosos ou inválidos. Lembre-se, há sempre uma razão para esses tipos de comportamento, raiva, ira, violência, medo e ansiedade não provêm de um vácuo. Há sempre uma razão, mas nunca uma justificativa. Logo, há *esperança* e *ajuda* para aqueles que estão feridos.

Capítulo 4

Identificando o Abuso

Quem está praticando todas essas agressões? Você pode perceber que todos os exemplos que usamos são de homens agredindo mulheres. Isso porque 95% de todas as violências domésticas envolvem homens contra mulheres.[1] Embora eles sejam provenientes de todos os níveis socioeconômicos e de qualquer ocupação, os agressores e suas vítimas têm características que os tornam muito fáceis de serem identificados.

Características Comuns do Homem que Agride

- Possui baixa autoestima.
- Acredita em todos os mitos sobre relacionamento agressivo.
- É um conservador que acredita na supremacia masculina e na regra do estereótipo do sexo masculino na família. Ele acha que tem o direito de ensinar-lhe uma lição.
- Culpa outros por suas ações.
- É exageradamente ciumento. Para que se sinta seguro, ele tem de se tornar superenvolvido na vida de sua esposa. Frequentemente exige que ela preste-lhe contas de seu tempo. Apesar de constante vigilância, ele ainda suspeita de todo o relacionamento que ela tem com outros homens e mulheres. Com frequência há abuso verbal relacionado à desconfiança de relacionamentos extraconjugais.
- Exibe dupla personalidade.

- Tem graves reações de estresse, durante as quais costuma beber e/ou bater na esposa para enfrentá-la.
- Ele usa o sexo como um ato agressivo para aumentar sua autoestima à vista de sua virilidade minguada.
- Ele não acredita que seu comportamento violento possa ter quaisquer consequências negativas.
- Ele tipicamente nega que o casal tem um problema e fica enfurecido se o seu cônjuge revela a situação verdadeira.
- Possui um elemento de destruição. Ele exagera as coisas, enquanto agride (não parece controlar o ataque brutal) e quando demonstra amor (dá ao parceiro afeição, atenção e presentes).
- Veio de um lar violento. Ele viu o seu pai bater na mãe ou foi agredido.
- Seu relacionamento com a mãe era incomum. Geralmente havia um relacionamento ambivalente de amor e ódio. Sua mãe tinha um controle considerável sobre o comportamento dele, mas com frequência ele abusava dela emocionalmente e rebelava-se contra ela.
- Sua personalidade é distorcida. Em geral, há uma história de alguém solitário ou socialmente envolvido só de modo superficial.
- Ele frequentemente realiza proezas que outros são incapazes de fazer. Agressores amam para impressionar suas mulheres. Em geral, eles são extremamente sensíveis às diferenças no comportamento de outras pessoas. Podem predizer as reações dos outros mais rápido do que a maioria. Sob estresse, a sensibilidade dele torna-se uma verdadeira paranoia.[2]

Características Comuns da Mulher Agredida

- Tem baixa autoestima, que geralmente subestima suas próprias habilidades. Duvida de sua competência e menospreza seu sucesso. Geralmente duvida de suas habilidades para realizar atribuições de dona de casa. Além disso, a constante crítica do homem a ela afeta seu julgamento.
- Ela assume a culpa pelo comportamento do agressor e acredita que ele mudaria seu comportamento se ela mudasse o

seu próprio. Na verdade, ela tem pouco ou nenhum controle sobre o comportamento dele.

- Ela acredita em todos os mitos sobre relacionamentos agressivos.
- É conservadora a respeito da casa, e acredita fortemente na unidade da família e na regra do estereótipo do sexo feminino prescrita. Está pronta para desistir da carreira não importa o quanto seja importante para ela. Ela concede ao homem o direito de tomar as decisões finais no modo como a renda familiar é utilizada.
- Ela aceita a responsabilidade pelas ações do agressor.
- Sofre com a culpa e ainda nega o terror e a raiva que sente. É uma conservadora da paz. Ela tenta controlar pessoas e situações no ambiente para manter o agressor equilibrado. Sente-se responsável por criar um meio seguro para todos.
- Ela mostra um rosto passivo ao mundo, mas tem força suficiente para manipular seu meio e evitar mais violência e o risco de ser morta.
- Ela tem graves reações de estresse com doenças psicológicas. Geralmente, mulheres agredidas são trabalhadoras que vivem debaixo de constante medo e estresse. Ela é capaz de suportar quantidades enormes de dor durante a agressão, embora com frequência reclame de indisposições secundárias como fadiga, dores nas costas e na cabeça, inquietação, depressão, ansiedade, insônia e desconfiança.
- Usa o sexo como uma maneira de estabelecer intimidade.
- Acredita que ninguém será capaz de resolver as situações desagradáveis exceto ela mesma. Pode se queixar da primeira exposição dela a um homem violento. Muitas dessas mulheres descrevem seus pais como tradicionalistas, que as trataram como bonecas frágeis e que as fizeram acreditar que não poderiam cuidar de si mesmas e tinham que depender de um homem.
- Ela pode ser extremamente ingênua e confiar nos outros.[3]

Características Comuns de Crianças que Vivem em Lares Violentos

- Crianças que cresceram em lares violentos podem sofrer de perda de sono (muitos ataques acontecem quando estão na cama), e elas podem não estar recebendo nutrição ou educação adequada.Essas perdas podem contribuir para um atraso no desenvolvimento físico, emocional/psicológico e cognitivo. Elas podem se sentir impotentes diante de ataques do pai ou da mãe, os quais elas não conseguem impedir ou diminuir. Esses sentimentos de impotência frequentemente levam à depressão.
- Essas crianças são encontradas em todas as esferas sociais e em todos os grupos etários, educacionais e raciais.
- Existe uma combinação de tolerância limitada, fraco controle de impulsos e aparente martírio de longanimidade.
- Experimentam depressão, estresse considerável e doenças psicossomáticas (dores no corpo provocadas pelos distúrbios emocionais ou mentais), absenteísmo excessivo na escola e têm sintomas ocultos de disfunção de caráter (retraimento, baixa autoestima, hiperatividade e outros).
- São dependentes econômica e emocionalmente. Elas estão no grupo de alto risco por causa do abuso material, atitudes sexuais, fuga, isolamento, solidão e medo.
- Têm uma definição muito insegura de si mesmo, abraçando as reações infantis de seus pais como modelos.
- Têm baixa autoestima.
- Experimentam uma mistura de esperança e depressão — depressão de que não há saída; grupos similares, se disponíveis, podem ser o contato mais importante.
- Podem exibir gradativo isolamento social com seus grupos.
- Podem "barganhar" o comportamento delas com seus pais, "submetendo-se" a provas, como fazem suas mães.[4]

Homens abusam por muitas razões, mas não há desculpa para abusar ou controlar as pessoas a quem amam. Violência no lar é um crime. Há esperança e auxílio para aqueles que estão machucados e que machucam os outros.

"Verdadeiramente, subestimei a gravidade da violência que estava ocorrendo naquela casa", um pastor lamentou. Aqui está um resumo da lição que abriu seus olhos para a realidade da violência doméstica:

> Após orar com a esposa, sinceramente eu lhe disse para ir para casa e tentar de novo. Ao pensar em tudo que ela havia contado, eu achava que ela estava exagerando ou que seu marido realmente tivera um mau dia. Talvez debaixo daquela tranquilidade exterior, essa mulher estivesse provocando seu marido e levando-o a ficar violento. A próxima vez que ouvi sobre ela, fora hospitalizada por causa de uma grave discussão, que ameaçou sua vida. Seu marido tinha batido nela e a empurrara do segundo andar escada abaixo. Ela estava machucada, tinha quebrado várias costelas, e sofrido um choque e hemorragia interna.
>
> Há momentos em que você deseja entregar a sua ordenação. Uma doce mulher tinha vindo aconselhar-se e proteger-se. Provavelmente foi um ato supremo de coragem em sua vida. Em vez de representar Cristo a ela, dei lugar a toda a minha ignorância, impotência, preconceito masculino, minha própria negação, pois não queria pensar que um dos meus membros agiria de modo tão violento, a fim de evitar uma extensa intervenção e cura. Eu mal conseguia olhar aquela mulher no olho quando a visitei no hospital. Acredite-me, comecei a aprender tudo o que eu poderia a respeito do problema do abuso de esposa em minha comunidade.[5]

Quanto às mulheres experimentando violência doméstica, é estimado que mais de 60% busca ajuda indo a um líder espiritual primeiro. Muitas vezes o líder espiritual envia-as de volta para casa debaixo de submissão, não compreendendo a dinâmica da violência doméstica.

Por que os Homens Abusam?

Para melhor compreender essas razões, é útil levar em consideração as expectativas da sociedade em relação aos homens, como essas expectativas são internalizadas e como elas se manifestam no comportamento deles. Biologicamente, as características de imediato são identificáveis, e incluem pêlo no rosto, agravamento da voz na puberdade e genitália masculina. Todavia, a expressão da masculinidade é um comportamento aprendido, que geralmente reflete as atitudes de quem leva a melhor na sociedade em que o homem vive. Vamos considerar quatro categorias de mitos da masculinidade.

"Sem Jeito de Mulherzinha"

O termo "mulherzinha" significa ser como uma menina — uma mulher. Refere-se a um homem que é tímido, covarde e afeminado. "Sem jeito de mulherzinha" quer dizer que não é aceitável um homem ter comportamentos ou qualidades femininos. Até mesmo em idade mais esclarecedora, a instrução que se dá a maioria dos garotos é evitar bonecas, garotas e outras atitudes femininas. Basicamente, eles são conduzidos a brincar com coisas de "homem", que são as bolas de futebol, as armas e os super-heróis. Eles são encorajados a não chorar, ignorar as emoções, mantendo-as sufocadas lá dentro de si. A vulnerabilidade é vista como um traço indesejável. A fim de serem aceitos na escola e na vizinhança, os garotos devem mascarar suas personalidades. Ao fazer isso, eles enganam a si mesmos tão bem quanto ao mundo a sua volta.

"Seja o Manda Chuva"

Garotos e jovens são encorajados a serem o chefe, o zagueiro,* o motorista, o gerente executivo. O "Manda Chuva" tem poder e toma conta do negócio. Ele é a cabeça do grupo, e esse grupo pode ser a turma da vizinhança, o time de futebol local ou sua própria família. O "Manda Chuva" é aquele que faz todos os outros se moverem, aquele que controla. Se um homem age sob uma versão masculina distorcida, encontrará um lugar para ser o "Manda Chuva". Se ele não pode sê-lo no trabalho, então trabalha duro para ser o "Manda Chuva" em casa.

Nossa sociedade, é claro, modela este conceito. Os Estados Unidos agem dessa forma com outras nações. Em um nível corporativo, os homens competem pela posição para serem os maiores. Até em filmes de faroeste o mais rápido no gatilho geralmente será derrotado. Este senso de competição fomenta um senso de desconfiança, um sentimento de insegurança, uma tendência ao

* **N. do T.:** Posição de maior importância do futebol americano

isolamento e uma obrigação para esconder os sentimentos lá dentro de si, para que não sejam vistos como fraquezas.

"Seja o Carvalho Firme"

"O poderoso carvalho cresce de uma pequena bolota", diz o velho ditado. O poderoso carvalho é cego para com o estresse e a tensão, inflexível diante da tempestade, impenetrável frente à dor — pelo menos aparentemente.

Homens que importam os mitos da masculinidade demonstram felicidade e ira, mas ignoram a grande área cinzenta que separa esses dois extremos. Jogadores de futebol americano profissional são vistos como os mais firmes carvalhos da sociedade. Eles se livram da dor, embora ela ainda exista, evitam a intimidação sendo mais intimidadores e tornam-se heróis da violência. A masculinidade tradicional limita emoções como o medo, a dor, o nervosismo, a insegurança, o ciúme e a tristeza — para se voltar para a raiva, a ira e a violência.

"Torne a Vida dela Miserável"

Quando uma mulher já teve sua cabeça chutada algumas vezes, sofreu o tratamento do silêncio por dias ou foi chamada de nomes depreciativos pelo cônjuge, aprende que não importa o preço pessoal a ser pago, é importante tentar mantê-lo feliz. O homem que age sob o mito da masculinidade quer assumir o seu lugar no galinheiro, onde o mais forte bica o mais fraco. Se o chefe está criticando seu trabalho, ele vai buscar ajuda, mas pelo menos temporariamente tem de aceitar a autoridade do chefe. Quando chega em casa, no entanto, ele joga sua raiva e frustração em sua mulher. Na cabeça dele, isso é a retribuição contra o chefe por tornar sua vida miserável. Assim ele se sente melhor, porque de uma forma ou de outra ele tornou a vida de alguém miserável.

Homens que desejam mudar seu comportamento precisam sair do modelo tradicional em que a raiva é o sentimento primário. Para o homem tradicional, o conflito geralmente significa sentimentos negados. Quando um homem começa a mudar, começa a ver que há muitas maneiras de resolver o conflito. Ele aprende que os sentimentos são confusos, mas podem ser identificados. O novo homem sabe que conflitos podem ser resolvidos e que sentimentos têm nomes. Ele reconhece que a raiva é uma reação a um sentimento que pode ser tratado.

O Processo de Tensão

A violência acontece em ciclos. O estágio de processo da tensão vem primeiro, e uma explosão se segue. Depois que a adrenalina se dissipa, o homem retorna ao estágio mais tranquilo e passa para o que chamamos de "estágio de lua-de-mel". Ele sabe que quebrou o contrato do casamento pelo abuso.

Uma mulher que foi agredida deve compreender que não precisa levar outra surra para ir embora. Ela deve compreender que o estágio de construção da tensão é o tempo de sair — antes que a agressão ocorra. Ela sabe que, ao tornar-se consciente dos comportamentos dele, o estágio de gradação da ira continua. Na figura 2 vemos a diferença entre a habilidade masculina e feminina para perceber a raiva. Nós não estamos tratando a raiva neste ponto, apenas analisando como ela responde e o que ela vê. Pode haver um período de tempo em que o casal tenha se relacionado bem, como vemos nas linhas paralelas da figura 2. Então algo pode provocá-lo, e ela percebe a raiva dele ascendendo na escala de modo gradativo. Internamente, muitas coisas estão acontecendo ao corpo dele. Há sinais de comportamento aos quais ela deve estar atenta:

a) Rosto avermelhado
b) Agressão verbal ou insinuações
c) Mudança na linguagem corporal
d) Tensão notável

Ele não reconhece sua raiva até que a expressa externamente por meio do abuso físico, socos na parede, gritos, berros ou xingamento. Muitas vezes ele nem pensa nessas coisas como uma explosão de raiva — só como uma expressão.

Mulheres precisam compreender que a escala de gradação da raiva tem algo dinâmico em si que ela possui a habilidade para reconhecer. Se ela já foi agredida, é um trauma para a sua mente. De modo inconsciente, ela assumirá o modelo, especialmente por um período de tempo.

FIGURA 2

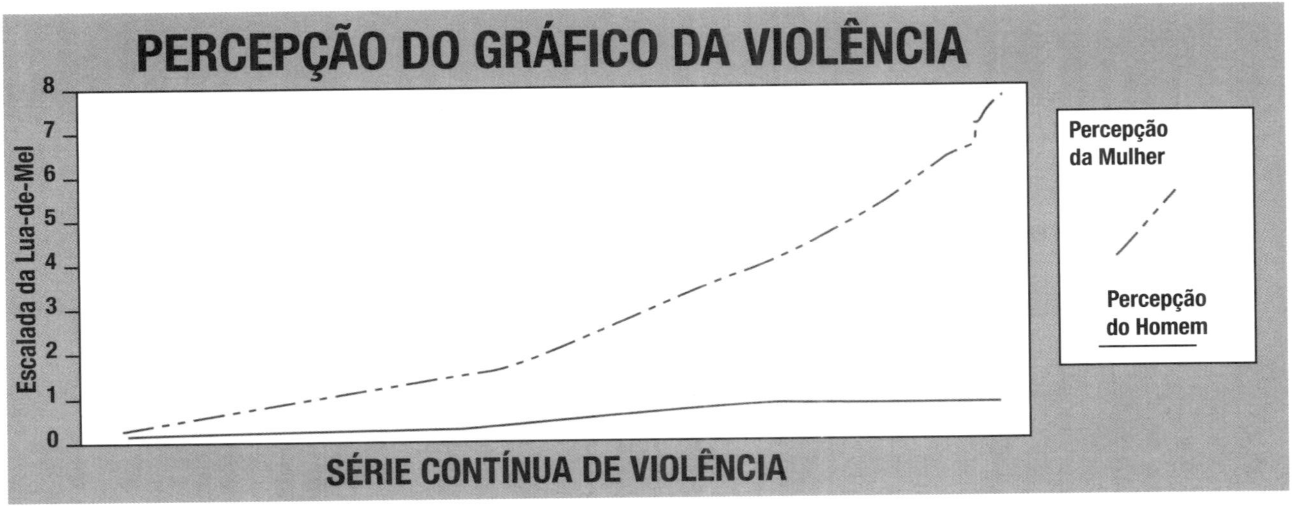

ABUSO EMOCIONAL

Afeição recolhida.
Sexo para punir.
Insultos, gritos, xingamentos; incapaz de discutir diferenças calmamente.
Ameaças não físicas, tais como dinheiro retido, tomar os filhos.

AMEAÇAS DE VIOLÊNCIA

Derrubar no chão, dar golpes, chutar algo.
Danos à propriedade.
Ameaças aos filhos ou animais.

VIOLÊNCIA FÍSICA DIRETA

Arremessar algo na outra pessoa.
Empurrar, dominar, agarrar, arrancar com um puxão violento, esbofetear, espancar, morder, arranhar e assim por diante.
Derrubar o corpo da outra pessoa no chão.
Restrição de movimento físico e contato social.
Sexo forçado.
Estrangulamento, soco, chute, queimadura, pancadas, ameaças de usar armas ou até mesmo o uso delas propriamente dito.

Observemos um exemplo: Uma mulher pode se relacionar bem com o marido por um período. Então algo o provoca no trabalho dele. Isso poderia acontecer da seguinte maneira.

Quando você ouve o barulho do carro dele chegando à garagem, fica muito nervosa. Você não sabe exatamente por que, mas quando ele entra, fica ansiosa. Você não compreende o processo do barulho, então pergunta a si mesma, *o que eu fiz agora?*

Você pode não estar consciente da rotação dos pneus quando ele entra na garagem, mas sua mente é capaz de absorver pequenas coisas e perceber quando as coisas não estão conforme o modelo normal. Normalmente quando dirige, ele não faz um barulho especial, todavia no dia em que ele fica irritado, entra na garagem um pouco mais rápido, levando seus pneus a denunciarem sua chegada. Ele pode fazer isso por três ou quatro dias sucessivamente. O ciclo já começou, e a tensão dele está gradativamente aumentando.

Em breve ele dirigirá, e você ouvirá o barulho dos pneus — mas nessa hora ele bate a porta do carro e a tranca com toda a sua força. Seu subconsciente conhece o som de uma batida de porta de carro. Você pode não reconhecê-lo conscientemente, mas seu subconsciente sim, e o nervosismo agora fica mais evidente.

Isso acontece por duas ou três semanas talvez. Então um dia ele vem à porta de trás e, em vez de parar a porta com sua mão, para fechá-la suavemente, como é normal fazer, você ouve uma batida forte. Dois ou três dias depois ele entra, bate a porta e em vez de falar com você, como costuma fazer, ele passa direto.

Uma semana depois ele é tão rude que você lhe diz: “Querido, está tudo bem?”

Ele grita de volta: “Se houvesse alguma coisa errada, você saberia!”

Você tenta restaurar a paz, mas ele vê sua comunicação como uma provocação. Ele entra na fase da culpa, e você sabe que essa resolução está além. Você sabe lá no fundo que vai ser agredida. Por um período de tempo, entre o começo desse comportamento e o abuso atual, você vai entrar numa fase de tentar ser uma mulher maravilhosa. Você diz às crianças: “Crianças, apressem-se e guardem seus brinquedos — papai chegou!" As crianças correm para seus quartos. Você está fazendo o que pode para trazer paz. Você pensa que precisa assumir a responsabilidade de tentar evitar o incidente da agressão, que sabe que vai acontecer. Esse estágio de tensão gradativa é onde você pode ver o desenvolvimento padrão, é o ponto de onde aqueles que estão sendo agredidos deveriam sair. Faça um plano seguro. Não espere a raiva se intensificar para correr. Se você pode compreender e reconhecer os modelos de gradação da raiva, vá para um lugar seguro — então ligue para ele e diga: "Não vou ser agredida de novo. Você vai ter que procurar ajuda, ou eu não volto para casa".

Quanto mais ocorrerem episódios contínuos de agressão, menor será o período de intervalo entre os incidentes de agressão.

Explosão

Após o estágio de gradação da raiva, mudamos para o estágio de agressão aguda. Depois que ele passa pelo começo do estágio de gradação da raiva e movimenta-se rumo à explosão, pode avançar rapidamente. Quando por fim ele explode, a mulher sente o que está por vir pelas próximas semanas. O medo e ansiedade são algo com que ela convive internamente, sabendo o que vai acontecer e que não há como controlar ou evitar isso. Não há maneira de escapar do medo que já foi produzido por abusos anteriores.

Quando explode, ele "bloqueia" (figura 3) e vai em direção ao que chamamos de "sistema de crença irracional e infantil", que geralmente dura de 8 a 10 minutos. Ele perde o contato com a realidade, mas sabe o que está fazendo. Ele está no controle de suas emoções e de sua personalidade Jekyll e Hyde. Quando ele bloqueia, revela a profundidade do estrago. Ele poderia matá-la durante esse estágio. Ele pode destruir a casa e bater nela. Quanto mais ocorrerem episódios contínuos de agressão, menor será o período de intervalo entre os incidentes de agressão. Ela pode ligar para o 190. Se a polícia entrar na casa no auge do bloqueio, um policial pode ser morto, porque o agressor está num sistema de crença infantil e irracional que afirma: "Ela é minha, e você não tem o direito de estar aqui". O policial invadiu o "castelo" do agressor em seu sistema de crença patriarcal e doentio.

Na síndrome Jekyll e Hyde um homem tem total controle de cada personalidade e usa uma ou outra para manter o poder e o controle da situação sobre seu cônjuge.

O marido de Jean era um dos principais executivos de uma das maiores corporações da cidade em que moravam. Ela contou a seus conselheiros sobre o grau de abuso e agressão que tolerava de seu marido. Entretanto, eles o conheciam — ou pelo menos pensavam que o conheciam — e respondiam coisas como "ele não faria algo assim". Porém, certa vez ele voltou para casa às 3 da manhã depois de ter um encontro amoroso e tirou Jean da cama para agredi-la. Ela correu mais de 500 metros até um campo, onde tropeçou e caiu num buraco recém-aberto. Quando caiu, um pé pisou na parte de trás de sua cabeça e girou seu rosto para o chão. Ela sentiu o cano duplo de espingarda calibre 12 atrás de seu ouvido, e ouviu e sentiu o click do revólver enquanto ele puxava de volta o martelo.

Isso é típico da personalidade abusiva de Jekyll e Hyde. É um tipo de personalidade não desenvolvida, controladora e sem nenhum caráter. É capaz de matar, assaltar, agredir, manipular e de todos os outros tipos de abuso. O mundo, no entanto, vê a falsa personalidade do bom garoto. Os amigos da mulher e até colegas de trabalho do marido da mulher geralmente duvidam que ele é um agressor e podem até mesmo pensar que ela é a única louca.

Na síndrome Jekyll e Hyde um homem tem total controle de cada personalidade e usa uma ou outra para manter o poder e o controle da situação sobre seu cônjuge. Ela vive com medo porque ele é muito volátil. Entretanto, após tornar-se menos perigoso, e a adrenalina ter se dissipado, ele dá meia volta e vai ao banheiro, penteia o cabelo, faz a barba rapidamente, talvez troque a camiseta e relaxe, e pode até encontrar os policiais na porta. Caso isso acontecesse, ele os cumprimentaria e diria algo assim "pessoal, entre, já está tarde. Rapaz, estou feliz por você estar aqui!" Ele é coerente e supercooperativo enquanto caminham em direção à cozinha, onde encontram a mulher encolhida no chão contra o armário. Com o cabelo para cima, maquiagem escorrendo, um nariz sangrando, uma blusa rasgada, costelas quebradas e joelhos dobrados e colados ao peito, ela chora, caindo em prantos, no meio da cozinha com cadeiras viradas para cima e comida

FIGURA 3

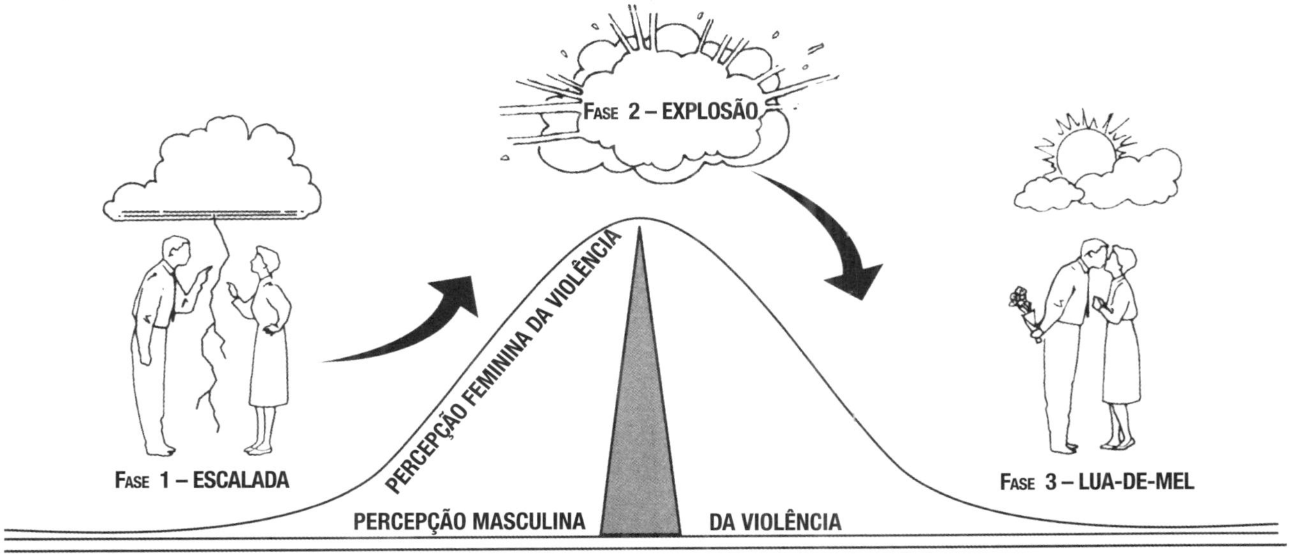

FASE 1 – ESCALADA

Ameaças, assédio verbal
Abuso físico menor
Ambos tentam controlar o comportament++o
Negação, incidente subestimado
Tensão construída

FASE 2 – EXPLOSÃO

Maior propensão à destruição
Tensão de descarga irresistível
Colapso emocional
A polícia pode intervir

FASE 3 – LUA-DE-MEL

Calma e gentileza
Cartões e flores
Desculpas
Promessas feitas
Cortejos — tentativa de iniciar a atração original
Esperança
Inicio do processo de conquista
Instinto marcante
Poder, controle e possessão

Adaptado de L. E. Walker, *The Battered Woman* (A Mulher Agredida, Nova York: Harper and Row, 1979). Usado com permissão.

nas paredes. Ele é legal, tranquilo e controlado, e ela parece uma doente mental.

Quando uma mulher está sendo agredida, o agressor a empurra ao nível emocional e mental de uma criança de três a cinco anos de idade enquanto ele se encontra no estado de um garoto de sete a nove anos de idade considerado o brigão do parquinho. Os policiais tratam-na com desconsideração e dizem: "Senhora, poderia falar sobre isso?", nenhuma palavra sai da sua boca. "Quer que a levemos a um abrigo?" Ela tem medo de ir a um abrigo. Tem medo de falar. Ela teme as consequências de abandoná-lo por causa do poder e controle que tem experimentado ao longo do relacionamento deles.

Estágio de Lua-de-Mel

Tão logo os policiais vão embora, se não levam o agressor com eles, ou se o reforço da lei nunca é chamado, ele entra no estágio de lua-de-mel. A Bíblia nos diz que o marido deveria estar pronto para morrer pela esposa (Ef 5.25). Sua função é cuidar dela. Ele deve honrá-la como a seu próprio corpo. Porém, quando um homem agride sua esposa, ele quebra essa aliança. Ela sabe disso, e ele também. Ele percebe que está pisando em terreno perigoso.

Até que ele se torne responsável por seu comportamento e comece a buscar ajuda para desenvolver seu caráter e essência, o abuso não acabará.

A primeira coisa que ele quer fazer é ir para o quarto se reconciliar. Mas a violência doméstica não é um estímulo sexual preliminar. Que tipo de homem acha que uma mulher sangrando, soluçando, chorando, com costelas quebradas, lábios sujos e maquiagem escorrendo pelas bochechas desejaria fazer amor? Mesmo assim, a primeira coisa que o abusador quer é ter relações sexuais com ela — mas isso não é realmente fazer amor. Nem mesmo um ato sexual. É um ato de possessão, é um abuso.

Quando desobedecemos aos princípios divinos, agimos como bestas brutas, corrompendo as reações instintivas (Jd 10). Quando um homem agride seu cônjuge, sabe que quebrou a aliança, e a primeira coisa que ele tem que fazer é trazê-la de volta para a aliança. Para um homem, o sexo é uma aliança. Quando quebramos uma aliança num relacionamento conjugal por meio da agressão, o impulso intenso do instinto animal da natureza caída do homem quer marcá-la, porque no momento em que ele a marca pelo sexo, ele a controla de novo. Nesse estágio doentio, ele pensa que está restaurando o casamento. Mas para a mulher é o sentimento mais vazio que ela pode sentir.

Não se trata de amor. Nem mesmo de sexo. Nem ainda de relacionamento. É sobre controle. Quando ele reconquistá-la novamente, o ciclo começa de novo.

Se ela lhe disser: "Você nunca mais fará amor comigo de novo até que vá buscar ajuda e esse ciclo pare", ele começará um processo de namoro. Ele pode comprar flores ou se oferecer para levá-la para jantar; pode prometer ir à igreja e buscar ajuda; provavelmente vai querer reformar a casa e comprar novos móveis. Alguns homens querem comprar outra casa e começar tudo de novo. Mas se não lidamos com as questões centrais, acontecerá novamente, porque não podemos mudar por nós mesmos.

Quando o homem entra no estágio de lua-de-mel, sua esposa consegue ver por um período de tempo uma sombra do homem que ela viu pela primeira vez e por quem se apaixonou. O problema é que o bom homem é um falso bom homem. Não é o interior real do homem. Um homem que agride tem uma essência doente. Sua essência e caráter são subdesenvolvidos, e o lado escuro é dominante. Até que ele se torne responsável por seu comportamento e comece a buscar ajuda para desenvolver seu caráter e essência, o abuso não acabará. Essa é a única esperança que temos. Porém, sem intervenção própria, ele não tem habilidade para fazer uma mudança duradoura. Então as desculpas aparecem e as promessas são quebradas. O ciclo de violência continua. Ela vê seu remorso. Ouve suas promessas. Em algum lugar lá no fundo, ela se engana com uma gota do rapaz por quem se apaixonou. Ela espera com a esperança irreal de que ele mudará a tempo.

Capítulo 5

Conduzido pelas Feridas

Os traumas da infância nos afetam pela vida toda. Psicólogos chamam esse fenômeno de fixação. Simplesmente, a fixação implica no atraso do desenvolvimento emocional até chegar ao trauma. O trauma pode ser contínuo (como rejeição por alguém na infância), um grupo de dois ou três eventos num curto período de tempo (como a morte de ambos os pais num curto espaço de tempo), ou um evento mais devastador (como um estupro, molestamento ou outro abuso físico).

Há quatro amplas categorias de trauma que mais comumente atrasam o desenvolvimento da criança: rejeição, abuso sexual (incesto ou molestamento), abuso emocional e abuso físico. Qualquer um desses ou um conjunto deles pode congelar o desenvolvimento da criança e levá-la a estagnar emocionalmente. A dor é simplesmente muito grande para alguém tão jovem lidar. A criança não tem habilidade para ver a realidade da situação que causa o trauma. Em vez disso, ele ou ela assume a responsabilidade pelo comportamento diferente do adulto e pensa: *O que fiz para levá-lo(a) a fazer isso comigo*? Paulo escreve à igreja de Corinto: "Quando eu era menino, falava como menino, sentia como menino, discorria como menino, mas, logo que cheguei a ser homem, acabei com as coisas de menino" (1 Co 13.11).

Como o pensamento e a razão de uma criança diferem de um adulto? Pesquisas científicas revelam que a criança abaixo da idade da puberdade está desprovida das químicas no cérebro para pensar em termos abstratos e ter a visão ampla. Uma criança mantém o foco em uma coisa em qualquer momento. Ela pensa em termos concretos.[1]

Um garotinho que está correndo atrás de uma bola que salta na vila está concentrado na recuperação da bola. Mas seu pai vê o caminhão vindo, avalia a velocidade do caminhão, grita com o filho, corre para resgatá-lo e salva a vida dele — mesmo se a bola estiver debaixo do caminhão. O pai tem a visão do todo. A criança vê somente a bola. Pela natureza, pensa somente no agora. Crianças são egocêntricas, orientadas para si mesmas, e exigem gratificação instantânea. Ainda precisam de limites e consequências para aprender a obediência à autoridade e que existem consequências por desobedecer. Precisam de estrutura e regras. Se uma criança é ferida pela rejeição, abuso sexual, abuso emocional ou físico, o crescimento emocional é guardado em um lugar seguro por causa do medo que ela tem de ser prejudicada e por sentir-se indigna de amor. A criança perde sua autodignidade e sente-se inútil e fraca.

Como a Criança se Desenvolve

A tradição judaica reconhece os três maiores estágios da vida humana (veja a figura 4). O primeiro é a idade das diretivas, que vai do nascimento aos doze anos. Em Provérbios 22.6 diz: "Instrui o menino no caminho em que deve andar, e, até quando envelhecer, não se desviará dele". Nesse estágio, a dependência da unidade da família é dominante.

Aos 13 anos, o menino judeu tem o seu bar mitzvah. Esse rito de passagem simboliza a transição da infância para a vida adulta. Nesse estágio, a criança oficialmente entra na idade da decisão. O rabino diz ao garoto que está se preparando para o seu bar mitzvah: "Agora você já alcançou a idade da responsabilidade. Você é responsável pelos resultados dos seus comportamentos. É responsável pelo que faz. Haverá consequências para as decisões da sua vida, e você será responsável por essas consequências. Você está se tornando um adulto. Estará fora do mundo tomando decisões e sendo responsável por elas. Hoje nós liberamos seus pais da responsabilidade pelo seu comportamento".

Na tradição judaica um homem não é considerado maduro, embora possa estar casado, até chegar aos 30 anos. Foi a idade

Figura 4

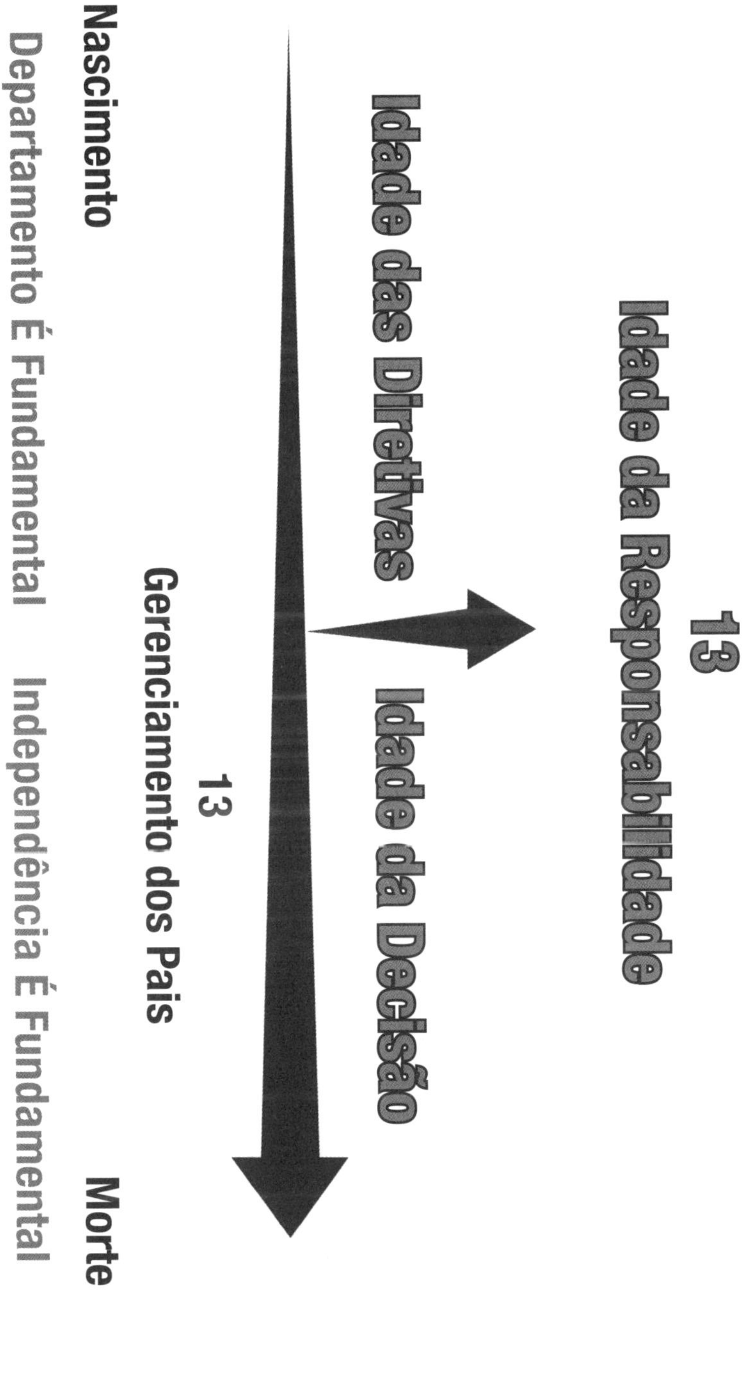

Nascimento
Departamento É Fundamental
Idade das Diretivas
13
Idade da Responsabilidade
13
Gerenciamento dos Pais
Idade da Decisão
Morte
Independência É Fundamental

que Jesus iniciou seu ministério completo. Porém, o período de 13 a 30 anos de idade é chamado de gerenciamento dos pais. Na tradição ocidental nós não temos 17 anos de gerenciamento parental de nossas crianças; ele dura aproximadamente 5 anos. Uma das razões para os judeus terem sido tão bem-sucedidos nas áreas de negócios e dinheiro é que seus meninos têm 17 anos de treinamento para tomar decisões e seguir no caminho dos antecessores na família. Eles estão realizando uma verificação da realidade e aprendendo a ser submissos aos sábios conselhos, como a Bíblia tão claramente reforça.

Como já mencionamos anteriormente, o indivíduo entra na idade da decisão aos treze anos. Continuamos nesse estágio até a morte. Conforme ficamos mais velhos, tornamo-nos mais confiantes em nossas decisões. Podemos encontrar opções. Podemos seguir adiante. Podemos ser bem-sucedidos. A criança normal de 13, 14 e 15 anos de idade está saindo da idade das diretivas para a idade da decisão.

Essa tradição judaica das faixas etárias dos três estágios da vida se compara às descobertas da pesquisa da psicologia moderna. Uma perspectiva a respeito do desenvolvimento amplamente aceita é a de Eric Erickson. Erickson identificou oito estágios de desenvolvimento na vida do indivíduo, mas os primeiros seis (veja figura 5) são aqueles que se aplicam às áreas em que estamos nos concentrando.

Unindo

Se o crescimento emocional foi atrasado, o próprio caráter não se desenvolverá normalmente.

Como os traumas da infância influenciam nosso comportamento? As feridas que nunca foram curadas nos levam a recorrer ao nosso instinto de sobrevivência. Preservação a todo custo — essa é a nossa direção para ficar vivo. Porém, as crianças não possuem habilidade ou experiência para mudar as circunstâncias. Portanto, elas aprendem a empurrar a maioria das situações para debaixo do tapete. Uma máscara superficial algumas vezes esconde a dor, mas não sem um preço.

Se o desenvolvimento emocional foi atrasado, o próprio caráter não se desenvolverá normalmente. Em vez disso, uma criança pode criar uma falsa personalidade, que se torna uma máscara para proteger-se da rejeição.

Neste processo a criança está tentando satisfazer as expectativas das pessoas que são importantes na vida, mas no processo seu próprio desenvolvimento é sacrificado. Áreas cruciais de relacionamentos e gerenciamento da vida pessoal são afetadas.

Gerenciamento da Raiva

O gerenciamento da raiva leva um adulto com habilidade de tomada de decisão a administrar a raiva e a reconhecer que a ira tem uma fonte. Você não pode me deixar nervoso, como adulto, a menos que eu permita que você me deixe nervoso. Entretanto, é mais fácil deixar uma criança nervosa, porque ela não tem habilidade de tomada de decisão.

Você já lidou com uma pessoa que é muito imprevisível e de pavio curto? Provavelmente essa pessoa foi ferida quando criança. Por causa do comportamento infantil e da carência de habilidade para gerenciar a raiva, parece que os outros sempre escolhem ele ou ela. Essa pessoa questiona se está errada e sempre se sente como uma criança no seu íntimo. Sente-se como se todas as pessoas no mundo tivessem o controle sobre suas emoções. Se estamos atrasados em nosso desenvolvimento, o gerenciamento da raiva não é uma das nossas habilidades.

Cooperação

Se estou atrasado em meu desenvolvimento, não consigo trabalhar em equipe. Eu deveria ser confiante nas tomadas de decisão, no entanto, como meu desenvolvimento foi atrasado, eu tento tirar todo o mundo do meu caminho. Se eu não sigo o meu caminho, fico amuado e me retiro. Se pertenço a um conselho da igreja, então eu me retiro, renuncio, falo por trás dos outros membros do conselho, a fim de estar certo de que minha opinião é ouvida. A mesma coisa acontece no trabalho. Se estamos atrasados no desenvolvimento, não compreendemos que temos de trabalhar em equipe. Cooperação em casa, no trabalho e na vida espiritual parece fora de questão.

Resolução de Conflito

A resolução de conflito não é uma parte da equação de uma pessoa com desenvolvimento atrasado. Os homens especialmente são bons nisso. Se um homem não pode resolver o conflito, ele apenas caminha com um fardo inteiro de conflitos não resolvidos atrás dele. Isso não o aborrece muito. Mulheres são diferentes. Elas querem a solução do conflito na hora. Se têm algo não resolvido em suas vidas, elas querem resolver. Mulheres querem um fechamento. Homens não precisam de um fechamento. Se uma criança tem um conflito, cai, é magoada, aonde ela vai? Ao papai ou à mamãe para ajudá-la. Porém, quando estamos lidando com o desenvolvimento atrasado, descobrimos que se um homem enfrenta um problema, vai querer que sua esposa o resolva. Ela enfrenta um problema como uma vítima e vai querer que ele o solucione. Esse é o retrato da disfunção de um casal, a necessidade é mais comum do que a escolha.

Orientação de Objetivos

É comum para uma vítima agredida dizer: "Sabe, ele é um bom homem. Ele tem muitas ideias boas, mas é o maior trapaceiro e o maior mentiroso que eu conheço". Quando somos atrasados no desenvolvimento, estabelecemos altos objetivos. De fato, estabelecemos objetivos impossíveis e ficamos irritados conosco mesmos por estabelecê-los, sem nenhuma esperança de alcançá-los.

Por exemplo, quando o homem estabelece a meta, ele diz a sua esposa o que vai fazer. Ele dá passos maiores que as pernas. Entretanto, ele não atinge nenhum de seus objetivos. Após seis meses, ele vem com novos objetivos. Quando ele fala com ela de novo, ela quer dizer: "Você é o maior mentiroso que eu conheço", mas tem medo de dizê-lo. Ela pode produzir uma lista de coisas que ele tem dito que faria, mas nunca fez. Finalmente, ela o vê como um falastrão e mentiroso.

Quando um homem diz: "Vou fazer isto", na cabeça dele, ele já está fazendo. Se o seu desenvolvimento está atrasado, ele se gloria em dizer: "Vou fazer isso". Então ele começa a projetar e não termina. Ele tem muitas coisas não concluídas a sua frente e atrás.

Permita-me acrescentar um pequeno fato a esta equação que pode machucar um pouco. O que dizer a uma filha cujo pai declara: "Hoje à noite é só você e eu. Nós vamos sair e fazer algo, e mais ninguém". Todavia, o pai não aparece. Ela espera até não aguentar mais, fica com os olhos abertos, esperando que

Figura 5

OS SEIS ESTÁGIOS DA VIDA DE ERIK ERICKSON*

	Idade (aprox.)	Tarefa	Aspectos das Lições	Se Não Realizados	Resultados Duradouros de Realizações Bem-Sucedidas
I	Primeira Infância (nascimento até 1 ano)	Confiança básica	"Vínculo materno" físico e emocional. Um senso de ordem e estabilidade nos eventos que experimenta; sentimentos de ser desejado, amado e cuidado.	Desconfiança básica. A vida permanece caótica, desconectada. A criança fica suscetível a doenças, incapaz física e psicologicamente. Alta mortalidade infantil; autismo na infância; retardamento acadêmico.	Orientação e Esperança
II	Segunda Infância (1 a 3 anos)	Autonomia	Aprende a andar com as próprias pernas; alimenta-se sozinho, e assim por diante. Controla as funções do corpo. Solicita as necessidades básicas por meio da linguagem. Descobre as escolhas; aprende a dizer "não" e "sim". Aprende as regras da sociedade; "pode e não pode fazer".	Vergonha e dúvida. Carência de autonomia produz dependência passiva dos outros; incapacidade de reivindicar a própria vontade resulta em [obediência extrema / legalismo]; incapacidade de aceitar o "não" resulta em personalidade constantemente rebelde, talvez "delinquente".	Autocontrole e Força de Vontade
III	Pré-escolar (aproximadamente entre 4 e 6 anos)	Iniciativa	Aprende geografia e tempo, pode ir e voltar, pode pensar em termos de futuro, desenvolveu a memória, aprende os papéis do início da vida adulta. Mais amável, cooperativo, seguro na família. Boa chance de se tornar uma pessoa "moral".	Culpa. Quer sempre estar no controle. O senso de competição leva a pessoa a ser "supercompetitiva"; pode estar sempre fora da lei.	Autocontrole e Força de Vontade
IV	Idade escolar (aproximadamente entre 6 e 12 anos)	Competência	Aprendizagem dos "como" da sociedade; aprende a ler, escrever e fazer contas; começa a compreender as matrizes da sociedade. Aprende a sentir-se digno e competente.	Inferioridade. Se a pessoa falha em aprender a competência, começa a sentir-se inferior se comparada aos outros. Se adquire a competência de modo exagerado, pode tornar-se muito "orientado por tarefas" e superconformado à sociedade.	Método e Competência
V	Adolescência (12 ao fim da adolescência ou início da maturidade)	Identidade	Maturação e identidade sexual. Descobre as regras da vida; pondera a questão "Quem sou eu?" distinto da família. Desenvolve amizades sociais; rejeita a família.	Confusão de papéis. Não pode alcançar uma identidade pessoal separada da família. Pode não se tornar socialmente adulto ou sexualmente estável.	Devoção e Fidelidade
VI	Início da Maturidade	Intimidade	Aprende a partilhar paixões, interesses e problemas com outro indivíduo. Aprende a pensar em "nós", "nosso", "nos" em vez de "eu", "meu" ou "mim". Afilia-se a outros; família, local de trabalho, comunidade. Atinge a estabilidade.	Isolamento. Inabilidade para ser íntimo dos outros. Torna-se fixado no nível adolescente de sensação de busca e autoprazer. Evita responsabilidade. Carece de "raízes" e estabilidade.	Afiliação e Amor

* Os primeiros seis estágios dos oito estágios de Erickson são abordados aqui.
Adaptado de Erick H. Erickson, *Identity and the Life Cycle* (Identidade e o Ciclo da Vida, Nova York e Londres: W.W.Norton e Co., 1980).

ele estará em casa e que fará o que prometeu. Ela finalmente adormece, e a mamãe vem, pega-a e a leva para a cama. De manhã quando ela acorda, lágrimas correm pelas suas bochechas. Seu pai a desapontou. Então, ela se casa com um homem como seu pai, porque ela está familiarizada com esse tipo de personalidade. Seu marido repetidamente a desaponta. As pessoas a questionam porque ela não confia nos homens. Ela foi magoada pelo pai, que prometeu fazer grandes coisas com ela, mas não cumpriu. Ela assiste a uma reapresentação instantânea de um marido que tem muitas ideias maravilhosas. Finalmente ela diz: "Jamais farei isso de novo".

Intimidade Emocional

Se estamos atrasados em nosso desenvolvimento, a intimidade emocional é totalmente estranha. Abaixo da idade da puberdade, uma criança é basicamente assexuada. Descobrimos que se uma criança foi molestada e/ou abusada sexualmente num grupo de eventos ou numa situação em longo prazo, está presa numa sexualidade difusa. Se fomos magoados sexual, emocional ou fisicamente quando crianças, casamento — especialmente para homens — é sobre sexo, e o componente emocional funciona mais como uma mãe. "Eu quero uma esposa — ou não quero uma mãe", ele diz. Ele precisará de uma quantidade tremenda de atenção sexual numa tentativa de satisfazer suas necessidades, mas não perceberá como um adulto. Há uma intimidade emocional associada à intimidade sexual.

Gerenciamento Financeiro e Responsabilidade

Se estamos atrasados em nosso desenvolvimento, descobrimos que muito do nosso tempo está sendo gasto financiando desastres. Estamos amarrados às coisas materiais porque não estamos felizes com a vida. Sabemos que algo está errado, então gastamos, gastamos, gastamos. Nós gastamos os cartões de crédito até o limite. Finalmente, encontramo-nos num desastre financeiro. Em alguns casos, evitamos trabalhar em nosso próprio programa de redescoberta, porque não podemos vê-lo como algo tangível. A prioridade infantil é a autogratificação em questões financeiras, novamente querendo o que queremos quando queremos. Queremos comprar algo tangível. Não queremos investir em nossa própria redescoberta, algo que não podemos ver.

Durante meu primeiro casamento com Judy, ela me diria: "Quanto dinheiro temos no banco? Preciso comprar alguns alimentos".

Eu diria: "O que há com você? Você não precisa saber quanto temos no banco".

É normal entre uma mulher e um marido que ambos saibam tudo sobre as finanças. Ambos deveriam saber quanto é sua dívida. Se ambos estão trabalhando e guardando dinheiro, sabem para onde o dinheiro está indo e quanto eles têm naquele dado período. Em questões financeiras tanto grandes quanto pequenas, há itens que ambos os cônjuges deveriam compreender. Ambos deveriam ter acesso às finanças e conversar sobre questões de gastos. Entretanto, aqueles que estão atrasados no desenvolvimento sentem-se como se alguém estivesse perguntando uma questão que não está relacionada aos seus negócios. Judy tinha todo o direito de saber o que tinha na conta bancária para comprar comida, mas por causa do meu desenvolvimento atrasado, eu não queria nada com responsabilidade. Na minha cabeça, Judy tinha se tornado uma mãe, uma autoridade, e eu ressentia e resistia a isso. Eu pensava que, a partir do momento em que eu era o chefe da família, o dinheiro era meu.

Esta é uma área importante no aconselhamento pré-nupcial porque parece ser uma das áreas mais resistentes para os casais lidarem. Se há atraso no desenvolvimento, ele deseja controlar o dinheiro, e ela está lado a lado com ele. Responsabilidade soa como autoridade, e no desenvolvimento atrasado a autoridade é resistida.

Desenvolvimento Sexual e Intimidade

O desenvolvimento sexual numa pessoa com atitude infantil é egocêntrico. Tal homem não está interessado em comunicação ou compromisso preliminar. É um esforço real para ele tomar tempo com seu colega para conversar coisas que são muito sérias. Seus relacionamentos serão muito superficiais. Ele conversará sobre coisas que não são muito profundas. Não conversará sobre resolução de conflito. Ele não se liga. É mais fácil na estrutura do desenvolvimento atrasado cuidar de suas próprias necessidades.

Por mais que algo aconteça, sua atenção à necessidade de seu cônjuge será mínima. Ela se torna uma pessoa para ser dominada, mas não alimentada e cuidada.

A masturbação adulta poderia ser uma transferência do atraso do desenvolvimento infantil, porque tal pessoa nunca desenvolveu as habilidades e a maturidade necessárias para um relacionamento entre adultos. Relacionamentos sexuais adultos responsáveis exigem compromisso e responsabilidade emocional, responsabilidade geral e conhecimento mútuo. Exige comunicação de sentimentos e valorização da outra pessoa, a fim de alcançar um modelo de crescimento padrão entre uma esposa e um marido. Masturbação é uma saída fácil, não exigindo qualquer uma dessas coisas.

Honestidade

Quando tentamos parecer maduros, mas não somos, tornamo-nos manipulativos. Nós embelezamos, esticamos a verdade e mentimos para sobreviver. Por que eu seria honesto com você e exporia minha infantilidade? É a questão não pronunciada de tais pessoas. "Eu vou esconder. Sou um adulto pseudomaduro. De fato, tenho que responder a questões que você nunca perguntará. Eu posso cuidar da sua vida. Posso traçar a sua vida. Posso lhe contar o que fazer porque acho que sou mais maduro do que você".

É interessante que na área da honestidade faremos aquilo que tivermos de fazer para manter essa fachada de um pseudo-adulto, uma personalidade aparentemente madura. Entretanto, nosso comportamento e ações falam mais alto que palavras. Nós conseguimos nos esconder quase todo o tempo. Mas é estranho como tudo vem à tona. Logo as pessoas dirão: "Bem, você não pode confiar ou acreditar nele(a) de jeito nenhum. Nem se incomode". Este é um sinal de atraso no desenvolvimento.

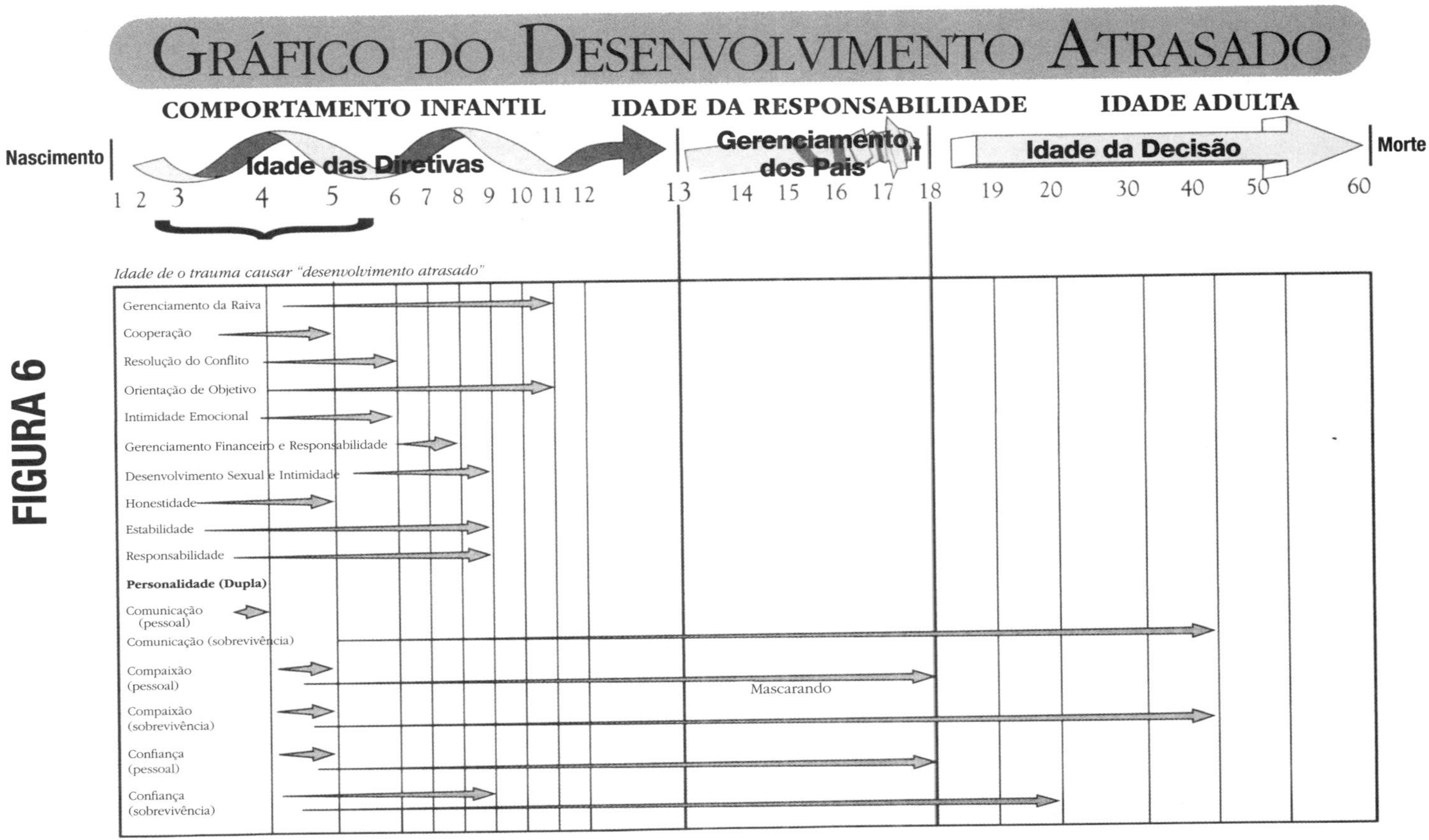
Gráfico do Desenvolvimento Atrasado
COMPORTAMENTO INFANTIL
IDADE DA RESPONSABILIDADE
IDADE ADULTA
Nascimento
Idade das Diretivas
Gerenciamento dos Pais
Idade da Decisão
Morte
1 2 3 4 5 6 7 8 9 10 11 12 13 14 15 16 17 18 19 20 30 40 50 60
Idade de o trauma causar "desenvolvimento atrasado"
Gerenciamento da Raiva
Cooperação
Resolução do Conflito
Orientação de Objetivo
Intimidade Emocional
Gerenciamento Financeiro e Responsabilidade
Desenvolvimento Sexual e Intimidade
Honestidade
Estabilidade
Responsabilidade
Personalidade (Dupla)
Comunicação (pessoal)
Comunicação (sobrevivência)
Compaixão (pessoal)
Mascarando
Compaixão (sobrevivência)
Confiança (pessoal)
Confiança (sobrevivência)

FIGURA 6

Estabilidade

Quando estamos atrasados no desenvolvimento, desenvolvemos uma "dupla personalidade" que carece de estabilidade. Em Tiago 1.8 diz: "O homem de coração dobre é inconstante em todos os seus caminhos". A dupla personalidade pode certamente ser interpretada como a instabilidade de uma pessoa que está agindo de modo cronológico com sua idade, mas é infantil em seus caminhos. Não há qualquer estabilidade. É uma síndrome de camaleão que afirma: "Onde quer que eu esteja, ajustarei a minha personalidade à situação". Por conseguinte, há menos medo de rejeição. Como uma pessoa que não tem confiança num sistema de crença, nem estabilidade em casa, nem na sua experiência cristã, nem financeira, nem em casa e nem no emprego. É uma maré baixa e o fluxo que a segue — anda conforme a maré.

Responsabilidade

Responsabilidade é um traço de caráter aprendido, que é ensinado pelo exemplo. O problema muitas vezes é que temos crianças neste momento que estão educando crianças, isto é, pais que estão atrasados em seu desenvolvimento e agora educam seus próprios filhos.

Anos mais tarde, pais que tiveram atraso em seu desenvolvimento tornam-se de fato incompetentes. Eles querem que seus filhos casados cuidem deles e tomem decisões por eles. As sogras se revertem e os de idade avançada tornam-se infantis enquanto tentam fazer as crianças levarem a efeito o modelo de crescimento que nunca aconteceu em sua própria família de origem. Além disso, o atraso do desenvolvimento da criança também resiste à responsabilidade, então o ciclo segue ano após ano e geração após geração. A criança não será mais madura que os pais de sua família a menos que alguém possa ajudá-la a amadurecer.

Comunicação

A personalidade dupla é óbvia na comunicação que toma o lugar dentro da casa de alguém com desenvolvimento atrasado. Um marido e uma esposa nesta situação podem falar sobre o clima, a casa, as férias, os filhos, o carro, os vizinhos e seus familiares. Entretanto, não podem ou não falarão um ao outro sobre coisas profundas como as necessidades dos sentimentos, as questões do relacionamento, porque esses elementos podem revelar quem realmente são, e levariam à rejeição e a dor com as quais não conseguem lidar. Eles estão vivendo uma fachada. Não há solução para o conflito, compromisso emocional ou crescimento como um casal. Não há profundidade para trabalhar e construir um relacionamento. Eles estão insensíveis, e o relacionamento também.

Compaixão

Na casa e na vida pessoal daqueles que estão atrasados em seu desenvolvimento, existe uma carência de compaixão. A esposa pode ficar doente que seu marido não lhe dá um apoio. Sua atitude é: "Você tem que programar sua doença, porque preciso de roupa lavada, e você vai ter que acordar, fazer minha comida e fazer sexo". Ele não tem compaixão para com sua esposa quando ela está doente. Deixe-o ficar doente, no entanto, e a vida para a fim de esperá-lo. Ela vê o pior lado dele. Ainda assim, o mundo pensa que ele é maravilhoso: alguém está com dificuldades financeiras, e ele fará o que for preciso para ajudar, mas ela está em casa passando necessidade; não tem comida em casa, mas ele sai com os amigos e suas esposas para comerem fora. Ele pode parecer muito cheio de compaixão e maduro para os de fora, mas ela vê que ele não possui qualquer compaixão pelos próprios filhos.

Confiança

Para o mundo lá fora, ele usa uma máscara e parece a pessoa mais confiante do mundo. Se a mulher já compartilhou que foi agredida ou sofreu abuso emocional, as pessoas diriam: "Algo está errado com ela. Nós o conhecemos. Nós o conhecemos há anos. Ele não é esse tipo de pessoa. O que você está tentando fazer — destruí-lo?" Embora dentro de casa ele seja uma bagunça. Ele não tem confiança; tem a síndrome do "pobre de mim". Ele se faz de mártir, e age dessa maneira para que ela o proteja e cuide dele. Ele não quer uma figura materna que provoque sua resistência à autoridade, mas quer alguém para cuidar dele, encorajá-lo, resolver seus problemas; e ele ainda se ressente de ficar dizendo o que fazer.

Discernimento

O discernimento pessoal do homem está fora de questão. Esse homem está na negação completa, mas ele poderia dizer-lhe exatamente o que acha que está errado com a sua vida. Ele está vivendo, então sabe o que você está enfrentando. Ele tem as respostas para qualquer pessoa, menos para ele.

Habilidades Sociais

Esse homem pode ser capaz de ir à França, pedir o cardápio e ter todas as habilidades sociais do mundo. Entretanto, em casa, não faz nada além de ficar assistindo à TV de cueca, arrotar e dar maus exemplos para as crianças. Ele pode ir à igreja ou ao trabalho, e todos ficam impressionados; no entanto, a dualidade é mais evidente em casa. O desenvolvimento atrasado é seu estilo de vida.

Mover-se emocionalmente da idade das diretivas à idade da decisão não é somente para crianças judias. Se eu vejo a vida como uma criança e sinto que minhas decisões são ditadas por minhas indecisões, minha circunstância ou alguém que me controla, então internamente me sinto incapaz sobre mim mesmo e minha vida. Como resultado, determino controlar tudo ao meu redor, incluindo pessoas e situações. Gostando disso ou não, estou sendo conduzido por minhas mágoas.

Capítulo 6

O Estilo de Vida Reativo

Como temos visto, se uma criança experimenta qualquer uma ou várias feridas da lista a seguir, pode ter várias dificuldades em seu desenvolvimento. Vamos examinar isso mais detalhadamente.

Rejeição

Rejeição é uma das coisas mais difíceis para um ser humano lidar. É pior que um câncer terminal. Pelo menos uma pessoa com câncer terminal sabe que haverá um fim e pode preparar-se para o que está a sua frente. A morte é o fim, e podemos normalmente lidar com ela em nossa cabeça se estivermos programados para fazer isso.

A rejeição, no entanto, é ilimitada. Em nossa mente, ela dura para sempre. Não há um fim para isso. Podemos seguir pelo rastro do medo intenso da rejeição até nossa infância — a algo que nos aconteceu, aos traumas, a coisas relacionadas aos nossos pais, a grupos de mesmo nível, a coisas que nossos irmãos e irmãs nos contaram. A rejeição pode acontecer na concepção e implicar em abandono, espírito crítico, perfeccionismo, altos e baixos, negligência e outros. Todos os traumas seguintes estão incluídos no guarda-chuva da rejeição.

Incesto e Molestamento

O abuso sexual rejeita minha privacidade, meu corpo, meus valores e minha autoestima. Essa rejeição faz sentir-me anulada perante a raça humana.

Incesto = abuso sexual entre os membros da família
Molestamento = abuso sexual fora do âmbito familiar

Abuso Emocional

É qualquer comunicação, repreensão ou reprovação que não eleva, edifica ou traz solução ao conflito. O abuso emocional cria na mente da criança uma impressão triste em relação à vida. Podemos chamá-la de "mandamentos para a vida". Exemplos: "Eu queria que você nunca tivesse nascido!" "Quem você pensa que é?" "Cale a boca!" "Alguém lhe perguntou alguma coisa!"" Você não consegue fazer nada certo?" "Pare de chorar ou eu vou lhe dar um motivo para chorar".

Abuso Físico

É qualquer toque não dado com amor, respeito e dignidade. É também emocionalmente algo que degrada e rouba o sistema de valor e produz medo. Quando os abusos descritos acima ocorrem, produzem as seguintes reações na vida da criança.

Perda do Respeito Próprio

Não importa o que aconteça comigo, meu valor como pessoa não diminui. Quando eu estou ferida, no entanto, não consigo achar ou sentir que sou uma pessoa de valor. O resultado mais óbvio é uma perda do autorrespeito. Essa perda se manifestará de muitas maneiras.

1. Perderei meu senso de segurança.
2. Não desenvolverei a habilidade de confiar.
3. Duvidarei da verdade.
4. Temerei o conhecimento.

Enquanto olhamos as raízes de nossas reações, "o estilo de vida reativo", há cinco categorias que devemos compreender: a rejeição e as quatro categorias de feridas manifestadas do incesto, do molestamento, do abuso físico e emocional. Qualquer um desses ou um conjunto desses atrasará o desenvolvimento da criança. A rejeição da família de origem estagnará a estrutura de desenvolvimento da criança. Se acrescentarmos a ela algum abuso emocional ou físico, seu desenvolvimento estará estagnado. Trabalharemos por anos tentando achar uma solução.

Se o incesto, o molestamento, o abuso emocional ou físico ocorrer na pré-puberdade das crianças, ela imediatamente perde sua autoestima. Ao nascer, criança possui um valor inerente colocado pelo seu Criador. Esse valor é a segurança que ela tem para encarar o mundo e é traduzido em segurança para a criança, que entende isso como "sou digna de ser amada por alguém". A criança então pode receber o amor de seus pais, porque possuí uma boa autoestima e valor. Autoestima, portanto, é segurança. Quando essa segurança é quebrada por alguém que comete algo como o incesto ou uma combinação desses abusos, a criança imediatamente perderá a autoestima. Ela fica imediatamente sem segurança, então deve se autoproteger: *Meu mundo não é seguro. Meus limites foram violados. Não devo ser digna de respeito e dignidade. Não posso confiar nem em meus pais para estarem comigo. Eu não tenho segurança, então tenho que ser a minha própria segurança.* A criança então começa a duvidar da verdade. Ela não receberá a verdade de ninguém e começará a desenvolver sua própria verdade e seus próprios sentimentos, que se tornam a verdade para essas crianças. Pensamos que nossa verdade (que realmente é uma mentira) é digna de confiança, pois duvidamos da verdade de qualquer pessoa.

Medo do Conhecimento

A próxima coisa que acontece é o medo do conhecimento. A criança não quer saber o que vem a seguir. Vemos pessoas que têm sintomas de doença, mas têm medo de ir ao médico. Elas têm medo da verdade. Medo do conhecimento. Quando a doença avança, e elas finalmente vão ao médico, é muito tarde — a doença é diagnosticada como terminal. Por que seguimos por esse caminho? Porque duvidamos do conhecimento e tememos a verdade. Vivemos nossa vida adulta, mas, em negação. Não queremos ouvir a verdade.

Medo da Rejeição

A próxima coisa que acontece é que, além do nosso medo, nos movimentamos dentro de uma área de rejeição em nossa vida. O medo da rejeição pode nos levar a gastar muita energia tentando evitar a rejeição. Se eu temo a rejeição, como lido com ela? Eu me rejeito primeiro. Eu disperso a situação para que você não consiga me machucar. Se eu me rejeito, não posso aceitar você, então o rejeito também. Não permitirei que você entre no meu mundo. Seremos amigos superficiais, mas quando você quiser se tornar íntimo, tirarei você da minha vida. Não consigo confiar ou receber. Eu destruirei a mim mesmo, e ao me destruir, destruirei outros e matarei minha habilidade para relacionamentos. Isso produz isolamento.

Isolamento

Eu não posso viver isolado desse jeito. Portanto, tenho que ter um plano de autoproteção. É isto: se você se aproximar de mim, eu "dou coices" em você. Eu o expulso. Erguerei uma cerca instantânea que vai do alto até o chão e me esconderei atrás dela. Eu o manterei distante de mim a qualquer custo. Apenas sei que se você me conhecer não gostará de mim. Então, como me mantenho distante? Eu "dou coices". Falo de você pelas costas. Eu o arraso. Torno-me crítico. Torno-me imperdoável. Eu me torno inflexível. Estabeleço um padrão para você que eu não poderia satisfazer. Quando você não o satisfaz, eu censuro-o severamente e me torno seu juiz, júri e carrasco. Não posso sempre "dar um coice" ao primeiro sinal, quando a necessidade de me proteger aumenta, a menos que eu tenha um depósito de amargura.

Portanto, eu coleciono e classifico as injustiças da minha vida. Não perdoarei. Não tirarei da minha mente. Eu posso me lembrar de cada palavra que você disse e tenho que guardá-la em meu depósito. Com o depósito inflamado, posso "atirar" ao primeiro sinal. Posso bruscamente colocá-lo em seu lugar e mantê-lo fora da minha vida. Eu não poderia fazer isso sem ter um depósito, que está sempre queimando para me proteger de sua tentativa de me conhecer. Machuca viver desse jeito, então agora o que eu faço é ocultar essa camada e entrar na negação completa. Eu bloqueio meus sentimentos. Eu congelo meus sentimentos. Escolho não entrar em contato com meus sentimentos. Eu justifico meus comportamentos.

Agora, sou o dono da minha vida. Sei que eu não sou bom. Eu sei que vou ser rejeitado, então eu rejeitarei primeiro. Se você se aproximar de mim, eu tenho acumulado amargura o suficiente para censurar e arruinar você totalmente.

Você já conheceu pessoas com um senso de humor de cortar o coração? Quando isso começa a acontecer no casamento, é devastador, porque machucamos a quem mais amamos. Eu tenho meu sistema de proteção estabelecido, mas nada está errado comigo. Estou bem. É o mundo inteiro que está fora do andamento. Algo está errado com você. Se você me perguntasse, eu poderia dizer-lhe o que está errado com você.

Feridas na Infância

Uma criança que foi rejeitada por molestamento ou abuso é facilmente intimidada. Eu tenho lidado com mulheres que afirmam, por exemplo: "Eu tenho um sinal na testa que diz 'Vítima — Abuse de mim'? Por que não consigo resistir? Por que não consigo estabelecer limites? Por que permito que os outros pisem nos meus limites?" Isso acontece por causa de nossas feridas na infância — somos facilmente intimidados. Uma criança é facilmente intimidada, e quando adultos carregamos esse traço em nosso estilo de vida. Com base no medo da rejeição.

Enquanto as outras reações se enraízam em nossa vida, nosso sistema de negação está firmemente no lugar. O resultado é a obstrução de nossas reações, negando nossas emoções e reprimindo nossas memórias. Estamos entorpecidos. Os efeitos das feridas são fáceis de perceber, seja na infância, adolescência, seja na vida adulta. Eles são manifestados em nossos empregos, casamentos, amizades e vida espiritual. Como crianças feridas, somos facilmente intimidadas.

A criança começa a escala da rebelião porque ela sente: *Ninguém sabe o que aconteceu comigo, mas eu sei que sou bom. Sei que sou diferente. Sei que vou estar certa de novo e que não sou amável, então vou agir de modo diferente do habitual só para ver se meus companheiros ainda podem me amar.* A criança começa a agir diferente e leva os pais a questionarem: "O que está acontecendo aqui? Tratamos nossos filhos amorosamente. Eles têm sido compreensivos, e, de repente, estão agindo de modo rebelde e com uma atitude odiosa". Quanto mais os pais amam a criança, mais ela age de modo rebelde. Nunca há uma linha de chegada para os pais ou para as crianças até que essa questão seja tratada. Há uma agitação e uma carência de atenção da parte da criança. A autodúvida leva a criança a ser um pouco hiperativa ou introvertida. Na autoproteção está uma refinação da desobediência e de uma rebelião aberta. A hostilidade aumenta. A criança está se tornando muito agressiva, exagerando, mentindo e o que chamamos de "livrar-se da culpa".

Por exemplo, minha mãe e eu estamos em casa e sou a única criança da família. O pai está fora da cidade há uma semana trabalhando, e a mãe encontra um pote de biscoito aberto. "Está vazio", mamãe diz. "Quem comeu os biscoitos?" Com farelos de biscoito por todo o meu rosto e camiseta, eu rapidamente falo sem pensar: "Eu não". A culpa da criança é óbvia: falha em associar a questão, a resposta e a evidência. Há três itens logicamente associados, mas a criança não estabelece a relação.

Como adolescentes feridos, agora descobrimos que há uma aparência falsa que é muito bem desenvolvida. Eu uso o meu próprio exemplo. Fui um adolescente nervoso no Ensino Médio. Foi durante esse tempo que eu estava sendo molestado pelo professor auxiliar. Os adolescentes que iam à escola comigo, cujos pais frequentavam a igreja do meu pai, disseram a minha mãe: "Algo está errado com seu filho, Paul! Ele professa tudo aqui na igreja, mas quando está na escola durante a semana, tem a mente mais suja. Ele é o aluno mais nervoso da escola. Ele amaldiçoa, jura, faz estardalhaço, sua reação é abusiva. Algo está errado com ele".

Minha mãe respondeu: "O que há de errado com você? Quem você pensa que é para vir a mim dizendo-me isso? Se Paul estivesse fazendo isso, não passaria despercebido em casa. Ele nunca usou linguagem abusiva em casa ou falou desse jeito. Nunca faltou com o respeito em casa nem mostrou quaisquer sinais de comportamento abusivo. Ele é um bom garoto". Minha mãe discutia com as pessoas que diziam a verdade, porque minha dupla personalidade era tão bem desenvolvida que eu premeditava cada palavra dita na frente dos meus pais na igreja, e eles pensavam que eu era perfeito. Eu era a criança "cristã" submissa.

Vemos uma dualidade em nós mesmos por causa das feridas da infância. O Jekyll e Hyde, ou personalidade dupla, pode começar a mostrar-se bem cedo na primeira infância. É algo que não podemos controlar, porque não conseguimos tomar decisões e estamos presos na idade das diretivas. Fomos tão usados para viver em autodúvida que agora refinamos isso ao *status* de ciência, e nos tornamos uma personalidade sobrevivente. Em nossos anos de adolescência, vemos a realização da rejeição. Algo bom poderia acontecer a nós, mas sabotamos e nos fingimos de mártir.

Também nos tornamos muito egoístas — o mundo parece girar em torno de nós. Como adolescentes, começamos a viver numa comunidade. Trabalhamos num esforço cooperativo. Há outras pessoas aqui na Terra. Elas também possuem direitos. Quando essa estrutura normal de comunidade desenvolvida está rebelada, e entramos num intenso egocentrismo e o mundo gira ao nosso redor, podemos estar certos de que temos problemas. Um adolescente normal, saudável, que está seguindo através da sua estrutura de desenvolvimento, começará a ser um jogador de equipe e a reconhecer que há outras pessoas no mundo ao seu lado.

Então o adolescente que sofreu abuso sexual sente que a promiscuidade é o único caminho seguro para ele se relacionar. *Prefiro que meu corpo seja usado a que você conheça quem realmente sou. Você aceitará meu corpo se eu lhe responder, mas se você realmente me conhecesse, não poderia me aceitar. Você não gostaria de mim.* É mais fácil se associar através de relacionamentos físicos do que se conectar por meio de relacionamentos emocionais, porque o medo da rejeição é uma possibilidade maior se você conseguir me conhecer de fato. Onde há atividade sexual acontecendo, a sexualidade evidente se expressa e então, de repente, por causa da vergonha, essa sexualidade diminui, e o adolescente se isola, rebela, ou ambos. O adolescente odeia o que faz: promiscuidade, isolamento, promiscuidade. Ele (ou ela) então começa a reciclagem e inicia tudo de novo. Adolescentes são sensíveis, mas como o ciclo continua a se repetir, eles endurecem suas emoções e se esforçam emocionalmente para comprometer-se com os outros ao longo de sua vida.

Adolescentes podem ter problemas com anorexia ou bulimia. Em nosso sistema de negação enquanto adolescentes, somos capazes — ao assistir outras pessoas negarem — de negar nossa situação e culpar outras pessoas e situações. Entre os 18 e 20 anos de idade, saímos de casa e libertamo-nos.* Não podemos esperar por sair de casa, especialmente se estamos feridos. Queremos ser uma autoridade para nós mesmos. Não queremos pais para nos dizer o que fazer. Não queremos um chefe para nos dizer como

* **N. do T.:** É costume na cultura americana o jovem sair de casa com essa idade para fazer faculdade e trabalhar.

agir. Não queremos professores nos colocando na qualidade de mortais. Não queremos um homem ou mulher em nossa vida para nos dizer o que fazer. Isso é coisa de papai e mamãe.

Como adultos feridos, nossos obstáculos estão erigidos, e estão todos no lugar. Nossa autodúvida é gravada em concreto. Nossa autoestima está agora inalcançável a menos que consigamos ajuda profissional de alguém em quem confiamos; de alguém que sabemos que se importa conosco e que possui habilidade para acessar nosso sistema de negação; que pode nos dar o conhecimento e a compreensão; e nos defenda da violência.

Nossa rebelião está refinada. Agora temos um ódio de nós mesmos, e porque nos odiamos, odiamos aos outros. Para sermos capaz de sobreviver, tornamo-nos julgadores, muito críticos, muito julgadores, e isso traz confusão. Por causa do medo de amar, do medo do conhecimento, a dúvida da verdade e as feridas que temos experimentado enquanto adultos, mantemos nossa distância de qualquer coisa espiritual. Não queremos lidar com igreja ou nos tornamos tão rígidos em nosso pensamento de que "regras" nos farão perfeitos. Se seguirmos modelos e regras feitos por homens, seremos aceitos por eles e talvez por Deus. Pessoas feridas sentem-se feridas por Deus. Nem todas as pessoas vão aos extremos, mas muitas sentem que precisam provar a Deus que são dignas de sua atenção e amor. Se podemos descobrir o que é o amor, então nos tornamos orientados pelo desempenho; entretanto, nunca haverá um desempenho suficiente para ser amada. Tornamo-nos independentes de modo gradativo. Aumentamos a promiscuidade porque é a única maneira pela qual sabemos nos relacionar. Rebelamo-nos contra toda e qualquer autoridade, e acabamos com problemas sexuais. Então jogamos estes jogos. "Se apenas"," Deus sabe que eu tentei" e "Por que eu?".

Como cônjuges feridos entramos num relacionamento e começamos a tentar encontrar alguém em nossa idade emocional para nos relacionarmos com ele. Chamamos isso de "amor" — mas é doentio, uma tentativa de suprir as necessidades que nunca conseguimos suprir na família de origem. O que acontece é que entramos num casamento e terminamos bloqueando toda a intimidade disponível. Uma mulher que experimentou problemas na infância terá uma tendência a bloquear a intimidade de um marido tentando estabelecer relações.

Como cônjuges feridos entramos num relacionamento e começamos a tentar encontrar alguém em nossa idade emocional para nos relacionarmos com ele.

Eu estava dirigindo no Nebraska e parei num posto de gasolina. As palavras "Centro de Aprendizagem D.V.P" estavam na van que eu estava dirigindo. Fui pagar a conta da gasolina, e uma das mulheres atrás do balcão perguntou:

— O que significa D.V.P?

— "Projeto de violência doméstica" — respondi.

— Onde você estava na noite passada quando precisei de você? — ela falou.

— O que aconteceu?

— Nossos namorados começaram a nos bater, e agora estão na cadeia — explicou.

Eu questionei:

— Quantas vezes vocês já se casaram?

Ambas disseram que já tinham se casado várias vezes.

— Deixe-me fazer uma pergunta — eu disse. — Algo aconteceu na infância que faz vocês acreditarem que não mereciam um bom relacionamento. Se vocês jogarem este jogo comigo, eu perguntarei, e vocês responderão imediatamente. Quando vocês estavam namorando antes do primeiro casamento, um homem veio e viu um valor em vocês incondicionalmente. Vocês gostaram dele. Ele era estável. Emocionalmente equilibrado. Tinha um bom emprego e potencial para ser um tremendo marido. Por causa de seus sentimentos sobre quem você é, embora quisesse namorar, relacionar-se com ele, conhecê-lo, você o desprezou porque achava que se ele a conhecesse iria abandoná-la, e você não suportaria ficar com aquele sentimento de abandono.

Imediatamente as mulheres me deram nomes dos homens que tinham colocado para correr, porque se recusaram a permitir que o relacionamento se desenvolvesse por causa do medo que sentiam.

O que acontece num casamento é que nos casamos numa zona de conforto, mas temos medo de nos aprofundar num relacionamento com alguém que pudesse realmente se importar, porque sentimos que não somos dignos daquele tipo de relacionamento, e nos atrapalhamos. Portanto, nos livramos de bons relacionamentos e resolvemos entrar num segundo melhor por causa dessa questão de nossa própria carência de valor próprio. Então, acabamos negando o problema. Não queremos conversar a respeito. É simplesmente um sistema de negação total, e constantemente reclamamos sobre a situação enquanto estamos negando o problema. A vida num relacionamento conjugal logo chegará a um ponto insuportável, ainda que estejamos debaixo de um contrato não escrito, que temos de cumprir, para provar para nós mesmos. Tornamo-nos orientados pelo desempenho. Internalizamos tudo o que está acontecendo. O homem dirá algo, e ela internalizará. Eles estão sempre com a corda no pescoço um do outro. Temos um tipo de personalidade auditiva. Isolamo-nos até mesmo dentro do casamento. Vivemos com algo dentro de nós que é uma constante irritabilidade. Temos solidão e desconfiança. Podemos ser casados e ter seis filhos e ser tão sozinhos quanto for possível, porque nunca nos conectamos. Temos filhos, somos casados, pagamos as contas, trabalhamos juntos — o que quer que seja — mas nunca nos conectamos. Então, vivemos com pensamentos de suicídio e desesperança! Lidamos com o medo e a ansiedade. Expressamo-nos muitas vezes de modo seguro (pensamos) num humor hostil, ranzinza, crítico, agressivo, e estamos nervosos em todo o tempo. A raiva não provém de um vácuo; é uma fonte. Você pode ter que gritar e provocar. Por exemplo, se eu pudesse provocar Judy, e ela reagisse gritando, berrando e chorando, eu sabia que a tinha atingido. Quando eu tentasse provocá-la, e ela me ignorasse, a mensagem que eu entenderia é que ela tinha se apaixonado. Eu não a tenho mais debaixo do meu controle. Provocação e um teste para ver se você ainda está "fisgado", e se você ainda estiver, estou seguro. Você não me deixará.

Então acabamos com uma vida de tentar controlar outros e de tentar controlar a situação. Tornamo-nos bons em manipular e usar qualquer método de poder e controle que funcione. Terminamos apenas tentando sobreviver. A partir do momento em que não temos controle sobre nós mesmos, o modo como sobrevivemos é por meio da tentativa de controle de todas as situações ao nosso redor. Tentamos controlar as pessoas a nossa volta porque o fato de podermos controlar outros, melhora a nossa autoestima (pensamos). Se posso controlar meu funcionário, alguém na igreja, minha esposa e minha família, meu mundo está seguro. Se posso controlar as circunstâncias, situações e pessoas, isso me faz sentir seguro, porque não tenho autocontrole. Não permitimos que as emoções sejam externadas.

Vivemos com um tipo de natureza compulsiva. Aparecerão vários vícios enquanto não conseguirmos enfrentar essa situação. Estamos possivelmente muito cansados porque nunca descansamos. Estamos sempre "ligados". A adrenalina está sempre circulando. Vivemos numa base de vergonha que diz: "Eu sou má", e levamos como a verdade do evangelho, que diz que não temos habilidade para mudar. Nossas decisões são tomadas por meio de indecisão, circunstâncias e outras pessoas. Com esse modo de nos portar na vida, acabaremos nos divorciando e casando várias vezes, reproduzindo os mesmos modelos. Conseguiremos sempre menos que merecemos, ainda que a mente queira mudar. A única maneira pela qual podemos viver é com a esperança de um amanhã melhor. Entretanto, na maior parte do tempo, nossas atitudes e palavras aos outros e a nós mesmos é de desesperança. Vivemos com o sentimento de que nunca somos dignos de nada bom. Sou totalmente inseguro e terminarei sozinho. Sou frustrado em cada área da minha vida.

Planeje sua Vida

Esses modelos destrutivos estabelecem a sua vida. Em nossa disfunção, não deixaremos um estágio e não avançaremos para o próximo. Tristemente, nós arrastamos toda a nossa bagagem conosco, colecionando mais ao longo do caminho. Passamos pela vida, conseguindo menos que merecemos, porque queremos mudar desesperadamente, mas não temos esperança para isso. Com o passar do tempo, nos sentimos mais indignos, inseguros e frustrados. Temos pouca habilidade para lutar, e vivemos num modo de exaustão e depressão. Estamos cheios de vergonha enquanto modelamos esse comportamento em nossas crianças. Este ciclo repete-se em nossos filhos e netos. Finalmente se torna nossa norma de vida.

Podemos usar a descrição acima como um diagnóstico de onde estamos presos e como a vida tem reagido em relação ao atraso em nosso desenvolvimento. Quanto mais rápido compreendermos essas coisas, mais rápido poderemos iniciar o processo de maturidade e ser a pessoa que Deus planejou que sejamos.

Podemos assumir o controle de nossa vida e entender onde ficamos presos. Podemos permitir que a confiança se desenvolva. Este é o começo do desenvolvimento do caráter e da jornada à normalidade.

Capítulo 7

Vergonha, Culpa e Raiva

Vergonha, Culpa e Raiva — Qual É a Diferença?

Já podemos deixar nossa bagagem reativa para trás? Sim. Exigirá trabalho, mas o tempo está ao nosso lado. O primeiro passo no processo é compreender a diferença entre vergonha e culpa.

Se eu não souber a diferença entre culpa e vergonha, nunca serei capaz de encontrar meu valor como pessoa. Vergonha é a percepção que me prende num sistema de crença que diz: "Eu sou mau. Estou errado. Não sou bom". Isso resulta de uma tendência ao perfeccionismo e leva à expectativa de rejeição, rigidez, isolamento e desespero. Quando penso de acordo com uma cosmovisão baseada na vergonha, meu valor é enterrado sob minhas disfunções, medos, ansiedades, comportamentos, erros, imperfeições, rejeições, sensações, impotências e pecados. Não estou satisfeito com nada menos que a perfeição. Vivo sobre uma base de desempenho e coloco expectativas irreais sobre meu cônjuge e aqueles que me cercam também. Não importa o que eu faça, nunca me sinto bom o suficiente.

Vergonha e raiva são interativas — onde há raiva, há vergonha. Violência é proveniente do desamparo. Esconde a vergonha. A violência impede a pessoa de ser exposta. É isolar e desconectar.

Raiva, que não é o mesmo que fúria, é uma maneira de expressar sentimentos, a fim de conectar e reparar o relacionamento com outra pessoa.

Vergonha é um comportamento aprendido. Não nascemos com ele. Pelo contrário, aprendemos por meio de várias fontes, tais como nossa família de origem, escola, relacionamentos, cultura e até mesmo igreja.

Culpa, por outro lado, pode ser uma emoção sadia que uma pessoa com um forte sistema de valor experimenta. Baseia-se numa presunção que diz: "Eu cometi um erro. Fiz uma coisa ruim. Minha atitude ou comportamento estava errado, ou eu tenho pecado. Porém, eu sou uma pessoa digna e de valor infinito". Quando meu valor essencial está no lugar, tenho habilidade para mudar minhas atitudes, comportamentos, reações e ações. Em outras palavras, estou no controle da minha vida. Quando eu funciono num sistema baseado na culpa (oposto a um sistema baseado na vergonha), cresço na responsabilidade e administração. Minha autodignidade se intensifica e meu caráter é formado. Posso construir um sistema de crença saudável sob um alicerce firme. Meus erros e fracassos se tornam experiências aprendidas. Não refletem minha autodignidade. Tenho poder de escolha para mudar minhas atitudes e comportamentos.

A culpa pode ser expiada por causa da promessa de amor que ainda está lá e podemos experimentar a crença de sermos perdoados. Tem um começo e um possível fim. Culpa é sobre seu comportamento. Vergonha é sobre você. Culpa pode ser um instrumento de aprendizagem, mas a vergonha bloqueia a aprendizagem. Vergonha e culpa caminham juntas e podem estar concentradas na própria pessoa ou nos outros.

A vergonha produzida por meio de feridas da infância pode ser transformada em culpa assim como a lagarta se transforma em borboleta. Descobrir as fontes de nossa vergonha é o começo dessa transformação.

A Culpa Diz Respeito ao seu Comportamento. A Vergonha Diz Respeito a Você.

A pessoa baseada na vergonha teme a punição, o abandono e a rejeição. Sente-se totalmente responsável pelas circunstâncias. Vergonha é um subproduto do modo como uma pessoa é tratada. *Eu fui tratado como se fosse indigno, portanto devo ser indigno* pode ser o meu pensamento. Parte do processo de crer é reconhecer a vergonha como uma verdade do passado, mas não como uma verdade sobre a pessoa hoje. Vivemos numa sociedade baseada na vergonha. A vergonha produzida por meio de feridas da infância pode ser transformada em culpa assim como a lagarta se transforma em borboleta. Descobrir as fontes de nossa vergonha é o começo dessa transformação. Considere os seguintes passos que podem levá-lo à jornada rumo à liberdade.

- Identifique as feridas da infância — quase todo o mundo tem algo na infância que machuca. Pode variar entre coisas menores e superficiais, e dores e feridas mais profundas. Nem sempre conseguimos nos lembrar delas claramente. Se a memória enfraqueceu, não vá cavar o passado! As memórias virão à tona quando você estiver pronto e for capaz de processá-las.
- Identifique os comportamentos reativos que enfraquecem nossos valores e perpetuam a vergonha. Podemos dizer por meio de nossos comportamentos reativos se houve uma ferida na infância. Podemos ter perdido a memória de modo consciente, mas a ferida inconscientemente influenciará nosso comportamento. Comecei a restauração sem a vinda das memórias à tona pela identificação dos comportamentos e suas mudanças. É um processo.
- Reconheça que com a vergonha vem a dor. Isso é normal. Registre ou elimine os sentimentos que você associou a cada incidente. Permaneça no processo. A dor finalmente diminuirá, e você verá uma luz no fim do túnel.
- Se a dor e o medo associados ao incidente for muito grande para você lidar, busque ajuda. Um amigo confiável, membro da família ou seu pastor pode ser ou não o lugar para começar. Não tenha vergonha de buscar ajuda profissional.
- Mantenha o foco no crescimento, que desenvolve a maturidade do caráter. Se estamos atrasados em nosso desenvolvimento, nunca conseguiremos desenvolver nosso caráter e essência. Nossa personalidade é uma pseudopersonalidade, portanto, muitas modificações de comportamento não funcionariam por muito tempo. Quando mantemos o foco no desenvolvimento do caráter, crescemos em nosso íntimo, e

o comportamento muda com o tempo. Então, a mudança pode ser permanente.

- Torne-se alguém que olha para o futuro em vez de habitar no passado. Escolha viver na solução em vez de eternizar o problema. Olhe adiante. Enquanto amadurecemos, podemos assumir o controle de nossa vida e esquecer situações, circunstâncias e outras pessoas. Podemos alcançar nossos sonhos, objetivos e visões.
- Determine-se a fazer tudo que puder a fim de cessar os comportamentos associados às feridas. Quando identificar um comportamento negativo, busque o comportamento oposto e mantenha seu foco na mudança. Não tente mudar tudo de uma vez. O tempo é seu amigo. Muitos de nós levamos anos para achar o caminho, e o processo de recuperação pode durar o resto de nossa vida. Mas melhora progressivamente.

Continue a crescer em longo prazo por meio de afirmações positivas para sua autoestima, a buscar um sistema de apoio e a manter o foco no seu crescimento espiritual.

Para o agressor, o refrear-se (assumir a responsabilidade e iniciativa em parar o comportamento) é fundamental. Isso é verdade tanto para o abusador emocional quanto para o físico. Para a vítima, a segurança é primária (removendo a si mesma da situação, usando os recursos da comunidade tais como a separação e o conselho conjugal, abrigo, ordem de proteção, violação da lei).

Se você é uma mulher que sofreu abuso emocional, há outra saída: enquanto você descobre seu valor, é capacitada para tomar decisões e assumir o controle saudável de sua vida. Você está livre para descobrir a pessoa que Deus a criou para ser. O processo de cura começou.

O Kit Raiva

Após descobrirmos as fontes de nossa vergonha, podemos esperar duas respostas: dor e raiva. Nosso modelo individual de raiva quando adultos é normalmente um refinamento dos modelos de raiva aprendidos na infância. Se meu pai gritasse e arremessasse coisas quanto fosse contrariado, esse seria o meu modelo.

Seu modelo me dá permissão para expressar-me do meu jeito. Parece funcionar. Minha esposa e filhos saíam de mansinho para obedecer minhas ordens e consertar meus problemas quando eu levantava minha voz. Eu estava no controle.

Mesmo se eu decidir rejeitar o modelo de meu pai, tenho que desaprender e remodelar minha reação à raiva. De outra maneira, isso se manifestará em outras áreas, tais como controle, manipulação, rigidez ou a fuga total do conflito. Quando eu fico "louco", não devo arremessar coisas e gritar — dou a minha família o desprezo e o tratamento do silêncio.

Minha esposa e filhos trabalham duro para me agradar e resolver meus problemas. Estou no controle. Apesar de minha determinação não ser como a dele, abracei o modelo de raiva do meu pai sem me dar conta disso.

Para discernir melhor nossas reações emocionais, é melhor olhar pelo menos duas gerações atrás em sua família de origem. Compreender como seus pais e avós expressavam a raiva pode lhe dar um indício das suas reações.

Compreendendo o modelo de raiva de sua família de origem

1. Como seus pais expressavam a raiva?

2. Como seus pais reagiam à raiva um do outro?

3. Como seus avós expressavam a raiva?

4. Como seus avós reagiam à raiva um do outro?

5. Como seus pais lidavam com o conflito — era resolvido ou evitado?

6. Você ficava com medo durante os acessos de raiva de seus pais?

7. Era permitido que você expressasse sua raiva?

8. Como você expressava sua raiva quando criança?

9. Como você expressa sua raiva agora?

10. Se pudesse, como você mudaria suas reações à raiva?

Nossos modelos individuais de raiva quando adultos são normalmente meras versões malfeitas de nossos modelos de raiva de infância (comportamentos aprendidos). Eles são completamente estabelecidos ou fixados. Como resultado, também são previsíveis. Pessoas que nos conhecem bem sabem quais são aqueles certos "botões" que nos empurram às reações de raiva que elas mesmas provocam.

Entretanto, por serem aprendidos, esses modelos podem ser desaprendidos e remodelados. Podemos decidir se queremos que o nosso modelo seja ajustado às nossas expectativas e respostas. Raiva é uma reação de desprazer universal, básica, normal, inevitável. Geralmente envolve uma porção significativa de desentendimento e tem as próprias raízes em nossas expectativas e respostas desconhecidas. Produz internamente aumento da força física produzida, que controlamos ou falhamos em controlar quando assim escolhemos.

Raiva é uma reação de desprazer universal, básica, normal, inevitável. Geralmente envolve uma porção significativa de desentendimento e tem as próprias raízes em nossas expectativas e respostas desconhecidas.

Raiva é uma emoção secundária; mais emoções básicas estão sujeitas a ela. Isso requer a tradição de uma crença ou conceito próprio. Nossas reações de raiva são modeladas e programadas, fomos ensinados pelo exemplo de como reagir. Porque as reações são internamente produzidas, podem ser internamente administradas. Elas são frequentemente mais expressadas na direção daqueles que são mais significativos para nós.

Raiva é uma reação emocional a certos tipos de situações que produzem estresse. Raiva não é uma emoção primária, mas é principalmente uma resposta reativa secundária. Mais emoções básicas estão sujeitas a essa, tais como no Modelo de Raiva (veja figura 7).

Quando ficamos com raiva, reagimos impulsivamente. Sem respostas adiadas ou controle do impulso, nos precipitaremos e iremos direto ao nosso comportamento reativo aprendido, que é geralmente a agressão. Raiva e agressão são diferentes; enquanto a agressão é planejada para causar ferida ou prejuízos, a raiva nos concede força, determinação e algumas vezes satisfação. Tem efeitos desejáveis e indesejáveis. Nosso propósito é diminuir os efeitos negativos e aumentar os positivos.

A raiva ocorre em níveis diferentes de intensidade. Uma pequena quantidade pode ser usada de maneira construtiva; entretanto, altos níveis de raiva raramente produzem resultados positivos. Ficar louco ou perder nosso humor nos impede de pensar claramente. Podemos dizer ou então fazer coisas das quais nos arrependeremos mais tarde.

A agressão pode lhe trazer problemas. Quando sentimos que levaram vantagem sobre nós de um modo ou de outro, queremos atacar a pessoa que nos ofendeu, até mesmo se ela for uma das mais próximas e queridas. Algumas vezes escolhemos explodir antes de pensar nas consequências para nós ou para outras pessoas.

A raiva não se torna agressão automaticamente. Querer machucar alguém e machucar esse alguém de fato são duas respostas diferentes. Algumas vezes machucamos a outra pessoa porque é a única maneira que sabemos agir. Isso é abuso e é a maneira errada de lidar com a raiva. Nossas reações à raiva são padronizadas e programadas, fomos ensinados a reagir na infância.

Uma das coisas mais importantes a fazer é controlar sua raiva pelo reconhecimento de seus sinais de tensão internos e externos. Enquanto você aprende seus pontos e sinais, pode aprender a relaxar, e sua habilidade para lidar com a raiva melhorará. Por ser internamente produzida, a raiva pode ser internamente administrada.

Compreender as causas básicas da raiva é o primeiro passo para solucioná-la. Quando reconhecemos a raiva e a ferida inicial, temos a opção de lidar com sentimentos e resolver o conflito. Vamos olhar as opções:

Ataque

Embora possa dissipar energia, um ataque não resolve o conflito. Removerá a adrenalina, mas deixará a questão ilimitada. Esse caminho também pode ter consequências (tais como relacionamentos quebrados, atraso, desinteresse, rejeição e assim por diante).

Negação/Fuga

Negar a situação ou fugir dela deixa-nos com um sentimento de impotência e fraqueza. Em nosso corpo nos sentimos vitimados mais uma vez. Não temos o controle sobre nossas vidas. Nós estamos à mercê de todos. Isso produz medo e ansiedade.

Guardar Rancor

O corpo é pressionado a guardar o rancor. A pressão sanguínea sobe, a batida do coração aumenta, e os músculos tornam-se tensos e permanecem assim. Isso coloca pressão na mente e no corpo. Estamos mais suscetíveis a promover a irritação. Torna-se mais fácil ficar com raiva da próxima vez que algo nos irrita.

Ceder

Se sentimos que somos sempre a vítima, nossa raiva é prolongada. Colecionamos as injustiças, brincamos de mártir e vivemos no passado. A raiva é prolongada quando lembramo-nos dos incidentes do passado que nos entristeceram. Quando eles não são resolvidos, iniciamos o processo da raiva de novo em nossa mente. Memórias de coisas que não foram resolvidas podem trazer de volta nossa raiva vividamente, e isso se torna uma realidade frequente.

RESOLUÇÃO

Passo 1: Faça uma Pausa

O controle do impulso não é um atributo natural; é um comportamento aprendido. Inicia com o adiamento de nossas reações. No momento em que você sente a escala das emoções levando à raiva, precisa fazer uma pausa e definir o que realmente está sentindo (mágoa, rejeição, abandono, vergonha, culpa ou qualquer outra coisa). Considere usar o contrato de pausa (figura 8).

Passo 2: Reconheça seus Sentimentos

Avalie o quanto você está triste e onde essa escala poderia levá-lo. O quanto isso seria destrutivo se você permitisse perder o controle?

FIGURA 7

MODELO DE RAIVA

EXPECTATIVA	PROVOCADOR		
"Mandamentos para a Vida"	**Ego Ferido**	**Sentimento Primário**	**Sentimento Secundário**
Os outros deveriam sempre ser gentis, atenciosos e justos comigo; eles deveriam me compreender.	Você não gosta de mim.	Ferida Ressentimento	Raiva
Os outros deveriam sempre estar prontos, ser honestos e moderados em relação a mim. Eles deveriam me respeitar.	Você não está sendo justo comigo.	Desapontamento Desencorajamento	Raiva
Eu deveria sempre compreender, assumir a responsabilidade, ser decisivo e iniciar a ação.	Eu não compreendo isso.	Confusão Frustração	Raiva
Eu deveria ser sempre competente, eficiente, correto, positivo, compassivo, articulado, perfeito. (baseado na vergonha)	Não estou fazendo um bom trabalho.	Imperfeição Insegurança	Raiva
Eu deveria sempre estar motivado, entusiasmado, positivo.	Minha atitude é má.	Desânimo (desesperança)	Raiva
Eu deveria sempre estar no controle, ser autodirigido, ter fé, acreditar em mim mesmo, conquistar	Condições são demais para mim.	Desamparo	Raiva
Eu deveria sempre ser corajoso, confiante, valente, forte, um modelo.	Eu não consigo lidar com isso.	Medo Ansiedade	Raiva
Eu nunca deveria cometer erros, voltar atrás, colocar-me em primeiro lugar, machucar os outros.	Se eu não sou perfeito, não sou uma boa pessoa.	Vergonha	Raiva
Os outros deveriam respeitar a mim, minhas decisões, opiniões e escolhas. Se eles não fazem isso, então não gostam de mim.	Eu não sou uma pessoa aceitável.	Rejeição Solidão	Raiva
Eu deveria usufruir as experiências que aprendi em vida.	Cometi um grande erro.	Culpa Tristeza	Raiva

EXPECTATIVA

Adaptado de James Moore, *Modern Learning Systems* (Sistemas de Aprendizagem Moderna, Minneapolis: publicação independente, 1981).

Passo 3: Identifique a Causa Verdadeira da Raiva

O que o irrita? Quais foram as circunstâncias que produziram as emoções com que você está lidando agora? Qual é a realidade da situação?

Passo 4: Avalie a Raiva

A raiva é legítima ou você percebeu a situação errada? Muitas vezes, por causa de suas feridas de infância, sua sensibilidade, medo, ansiedade e fatores de rejeição, você percebe coisas e experimenta sentimentos que não representam necessariamente a realidade. Dê um passo atrás da situação e faça uma verificação da realidade por meio de um amigo antes de tomar uma atitude.

Passo 5: Pense na Situação

Não tome nenhuma atitude até que você tenha refletido sobre a situação e tenha controle de suas reações, respostas e palavras.

Passo 6: Resolva o Conflito

Depois de pensar claramente e ver a realidade do conflito, você tem muitas escolhas com as quais poderá resolvê-lo. Você pode confrontar calmamente, estabelecer limites, conseguir conselho sábio e imparcial, expressar os sentimentos, negociar soluções, comprometer-se ou adiar a questão até mais tarde. Você pode simplesmente relaxar. Você não tem controle sobre outras pessoas, situações ou circunstâncias.

Passo 7: Perdoe

O perdão liberta-o do poder mental da pessoa que o ofendeu. O perdão não fecha os olhos para o comportamento do abusador. Muitas vezes a resposta do abusador é falsa ou com um falso arrependimento, então isso não exige que a outra pessoa admita o que tem feito. O próprio perdão quebra o compromisso. O perdão não requer que você restabeleça o relacionamento com o ofensor. O perdão não significa que você tem que voltar e receber uma segunda ofensa. Você pode perdoar e ainda estabelecer limites. O perdão inicia um processo que leva tempo para a ferida ser liberta da memória do evento. Você provavelmente nunca esquecerá, mas a dor diminuirá.

FIGURA 8

CONTRATO DE INTERVALO

1. Os indícios os quais apontam que estou ficando com raiva são

   ....

   ....

2. Os "provocadores" (bandeiras vermelhas) que preciso evitar são

   ....

   ....

3. O intervalo sem culpa e neutro sinaliza que eu costumo ser

   ....

4. Quando eu dou o sinal acima, irei ....

   ....

5. Quando meu cônjuge faz o sinal de intervalo, eu aguardo por causa do contrato.

6. O período de intervalo durará por.. [pelo menos 60] minutos.

7. Ao final do período de intervalo, nós ....

   ....

8. Durante o período de intervalo, observarei as seguintes regras: [sem cafeína, drogas ou álcool] ....

   ....

   ....

Assinado..........................

Testemunha ....   Data...

O Processo do Perdão

- Identifique o evento e o trauma.
- Identifique a pessoa ligada a esse evento.
- Escolha perdoar.
- Identifique seus comportamentos reativos associados ao evento.
- Partilhe a dor com alguém em que você realmente pode confiar.
- Mantenha o foco no crescimento que desenvolve caráter e maturidade.
- Mantenha o crescimento pela autoconversa positiva, reafirmação e declaração de valor.

Esse processo cria uma linha de chegada na mente. O fechamento de uma situação inicia o processo de cura.

Capítulo 8

Construindo Relacionamentos Saudáveis

Construir relacionamentos saudáveis é possível. As chaves são o conhecimento, o compromisso e a boa vontade para colocar em ação o processo de confiança.

Para começar, precisamos compreender o que é um relacionamento realmente normal e saudável. Se fomos educados em uma casa com disfunção, ou se nosso desenvolvimento está atrasado pelo trauma, provavelmente não temos qualquer modelo para imitar.

Já temos visto que relacionamentos construídos em torno de poder e controle geralmente se autodestroem. Relacionamentos saudáveis são construídos com respeito, liberdade e prosperidade ao longo dos anos. Examinar alguns dos componentes de relacionamentos saudáveis nos capacitará para (1) desenvolver nossa identidade, (2) começar o processo de compromisso emocional e (3) construir relacionamentos com pessoas que escolhemos, não pessoas que precisamos.

Observamos o círculo de variedades de abuso no capítulo 2. O círculo do relacionamento saudável (figura 9) é o oposto a isso. Os componentes de um relacionamento saudável são os seguintes:

Toque Apropriado

O toque apropriado valoriza abraços não sexuais e a expressão da necessidade de ser tocado. É a habilidade para expressar a frequência e a extensão do toque. Isso é importante. Por exemplo, não é fácil para uma mulher que vem para casa após um dia de trabalho e está preparando o jantar para a família responder quando seu marido vem até ela e começa a tocá-la sexualmente. Ela tem outras coisas na mente.

FIGURA 9

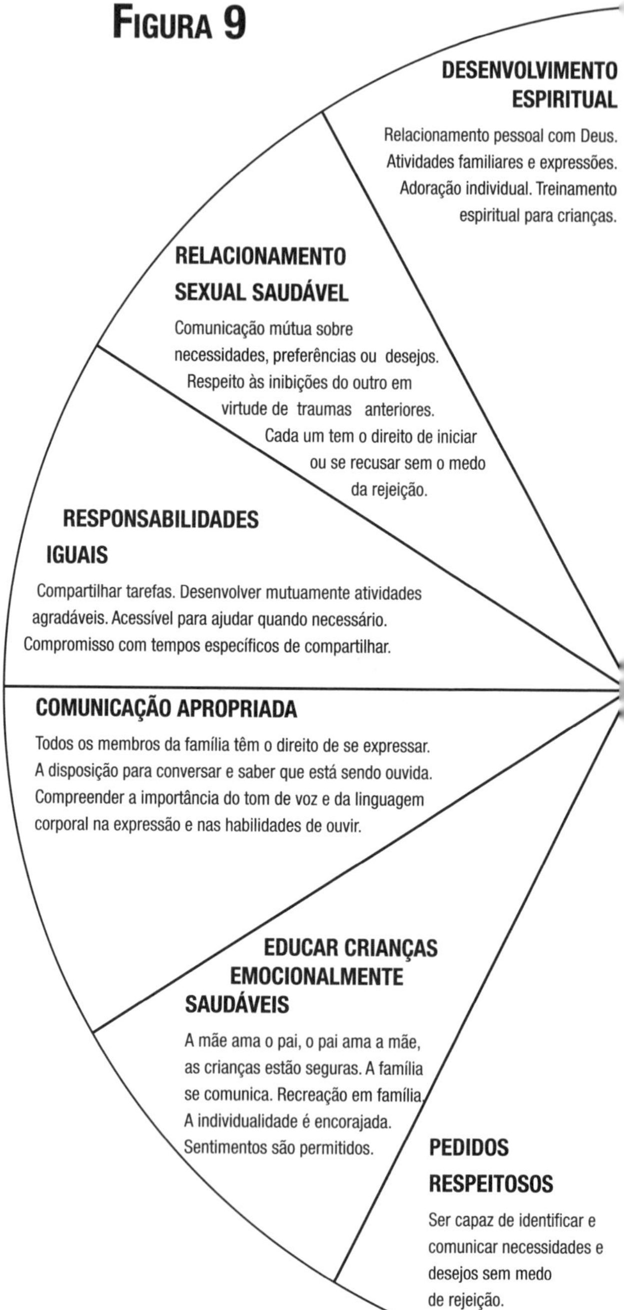
DESENVOLVIMENTO ESPIRITUAL
Relacionamento pessoal com Deus. Atividades familiares e expressões. Adoração individual. Treinamento espiritual para crianças.
RELACIONAMENTO SEXUAL SAUDÁVEL
Comunicação mútua sobre necessidades, preferências ou desejos. Respeito às inibições do outro em virtude de traumas anteriores. Cada um tem o direito de iniciar ou se recusar sem o medo da rejeição.
RESPONSABILIDADES IGUAIS
Compartilhar tarefas. Desenvolver mutuamente atividades agradáveis. Acessível para ajudar quando necessário. Compromisso com tempos específicos de compartilhar.
COMUNICAÇÃO APROPRIADA
Todos os membros da família têm o direito de se expressar. A disposição para conversar e saber que está sendo ouvida. Compreender a importância do tom de voz e da linguagem corporal na expressão e nas habilidades de ouvir.
EDUCAR CRIANÇAS EMOCIONALMENTE SAUDÁVEIS
A mãe ama o pai, o pai ama a mãe, as crianças estão seguras. A família se comunica. Recreação em família. A individualidade é encorajada. Sentimentos são permitidos.
PEDIDOS RESPEITOSOS
Ser capaz de identificar e comunicar necessidades e desejos sem medo de rejeição.

TOQUE APROPRIADO

Valorizar os abraços não sexuais. Habilidade para expressar a necessidade de ser tocada — frequência e extensão.

COMPROMISSO EMOCIONAL

Apoio emocional. Uma combinação de duas percepções permitindo a individualidade, ainda criando uma nova entidade chamada “nós”. Constrói estima e valor.

COOPERAÇÃO ECONÔMICA

Consenso mútuo para maiores gastos. Comunicação aberta em questões financeiras grandes ou pequenas.

RESPEITO À PROPRIEDADE

Um respeito pelo relacionamento, pela propriedade dela, propriedade dele e propriedade mútua, considerando a propriedade individual de cada filho.

COMPORTAMENTOS SOCIAIS APROPRIADOS

Demonstrações públicas e aceitáveis de afeto. Consultar primeiro antes de fazer compromisso para ambos. Ser estruturado e organizado x ser espontâneo.

INDIVIDUALIDADE APROPRIADA

O direito ao espaço pessoal. Interesses pessoais, atividades, decisões, amigos e atividades de crescimento. O direito a recusar coisas que não gosta.

Kevin Leman, um psicólogo cristão em Tucsey, Arizona, afirmou no vídeo *Guerra dos Sexos*[1] que muitas vezes uma mulher não se aproxima e voluntariamente abraça seu marido porque dentro de 1.7 segundos do movimento dela em direção a ele, essa atitude será interpretada sexualmente por ele. Algumas vezes, as mulheres precisam de aprovação não sexual e abraços não sexuais. Se ela confia e sabe que pode ser valorizada não sexualmente, e que é seguro conseguir um abraço, então começa a responder a ele de modo mais sexual. Isso é o fator confiança. O tocar e o abraçar, bem como a aproximação não sexual, são muito importantes num relacionamento.

Compromisso Apropriado

Inicia-se com compromisso emocional. Como exemplo, vejamos a diferença entre um homem e uma mulher no apoio emocional.

Ela vem do trabalho para casa, senta-se para jantar, e diz: "Vou lhe contar — tive o pior dia de toda a minha vida. Eu saí essa manhã, satisfiz cada compromisso e deixei um relatório na mesa do chefe como ele queria, mas ele ainda gritou comigo porque não fui rápida o suficiente. Eu nunca tive um dia como esse".

Ele então diz: "Bem, você deveria ter visto o meu dia se acha que o seu foi ruim", ou "Ah!, Isso não é tão ruim assim. Não sei porque você está tão triste por isso. Você sabe, o chefe provavelmente estava tendo um mau dia. Talvez sua esposa o tenha aborrecido antes de sair para o trabalho, ou ele teve um acidente no caminho, ou a gasolina acabou. Algo deve ter acontecido".

Nesta situação, o que a esposa precisa é de suporte emocional. Seu marido parece apoiar o inimigo, aquele que está abusando emocionalmente dela no trabalho ou que gritou com ela. Seu cônjuge não apenas justifica o chefe como também a magoa e a faz sentir-se culpada por ser tão emocional. Quando ele defende o chefe que a prejudicou e magoou seu espírito, ela questiona: "Estou louca? Minha percepção está confusa?". Isso produz uma dúvida própria. Ela deveria ser capaz de voltar para casa e compartilhar livremente o que aconteceu com ela. Em vez de ficar disputando para ver quem teve o pior dia, ele poderia dizer: "Você está lidando com esses problemas muito bem. Eu poderia entender como se sente se tivesse tido um dia desses". Ele a apoia, e ela não acha que está louca.

Apoio emocional é uma parte integrante do compromisso no relacionamento. Compromisso é apoiar emocionalmente, preocupar-se, ouvir e compartilhar a profundidade dos sentimentos.

Duas Percepções

Temos de compreender que um casal casado é uma combinação de duas percepções. O cérebro abriga aparentemente um número ilimitado de memórias. Além dessas memórias, abriga nossa dor, alegria, percepções, opiniões e preconceitos. Um relacionamento conjugal é a combinação de duas percepções, permitindo a individualidade e as opiniões, ainda criando a indelicadeza de uma nova existência como casal, que está junto e é chamado de "nós". Em outras palavras, em vez de moldá-la para satisfazer suas necessidades e querer fazê-la pensar como você — ou ela fazer o mesmo que ele — eles reconhecem suas percepções, que são totalmente diferentes. Isso lhes dá maior comprometimento por aquilo que está avançando na vida deles como casal. Quero que Judy mantenha as opiniões dela e desenvolva sua identidade, caráter e autonomia, e eu deveria encorajá-la a ser o que ela precisa ser. Ela tem uma perspectiva, eu tenho uma perspectiva, então quando ela vê uma questão ou um ataque, podemos ver todos os ângulos disso. Ela vê os lados daquilo que eu não vejo. Isso é o que pode construir um relacionamento. Eu ainda sou um indivíduo, e estou crescendo no meu próprio caminho. Ela também está crescendo do jeito dela. Entretanto, juntos temos criado uma identidade maior chamada "nós", que sai e enfrenta o mundo juntos.

Cooperação Econômica

Um casal deve ter consentimento mútuo para maiores gastos e comunicações abertas em questões financeiras maiores ou menores. Em outras palavras, ambos os cônjuges devem saber onde permanecem financeiramente a qualquer tempo, e isso produz estabilidade e um fator segurança enquanto trabalham juntos nessa área. As áreas de discussão podem ser as seguintes: compartilhar as despesas proporcionalmente, a necessidade de fundos "não contáveis", poder de veto nos compromissos de dívida e consenso mútuo para maiores compras.

Respeito à Propriedade

Isso inclui respeito ao relacionamento, à propriedade dela, à propriedade dele, à propriedade mútua e à propriedade de cada criança. Em outras palavras, homens não são donos de tudo. Há coisas que ela pode ter que são realmente dela — como porcelana, itens pessoais, o aparelho de som que ela ganhou no Natal, ou o carro que está no nome dela. Tudo bem. Um homem também pode ter coisas que são realmente dele — tais como ferramentas, equipamentos ou o aparelho de som que ganhou no Natal. Mas ainda assim algumas coisas ainda são deles, e ela deveria ter permissão de ir à caixa de ferramentas e pegar o que precisa para pendurar um quadro e saber que ela não vai ser agredida (por outro lado, ele deveria ter permissão de ouvir um CD no aparelho de som sem reclamação). Nós respeitamos a propriedade um do outro.

Quando nossos filhos estavam em casa, pensavam que tinham sua própria propriedade, mas como pai deles eu estabelecia que "aquilo que era deles era meu também". Eu dizia-lhes como usar, o que fazer, quando brincar e quando jogar fora. Entretanto, num lar equilibrado, o respeito à propriedade permite que as crianças e o casal cresçam individualmente e conquistem coisas que podem ser administradas. Isso se aplica em especial às crianças que estão aprendendo como cuidar das coisas. Isso também faz parte do que é um lar feliz.

Comportamentos Sociais Apropriados

Comportamentos sociais apropriados incluem manifestações de afeição públicas e aceitáveis. Se um cônjuge sofreu abuso sexual na infância, pode ser sensível a muitos tipos de manifestações públicas de afeição. Qualquer tipo de toque em público pode então ser percebido como inapropriado e causar afastamento. Essas são áreas num relacionamento sobre as quais o casal necessita discutir.

Individualidade Apropriada

Identidade, autonomia e intimidade caminham juntas num relacionamento equilibrado. Nós deveríamos ser um casal por escolha, não porque precisamos forçar o parceiro a satisfazer nossas necessidades. Cada parceiro no relacionamento precisa de espaço pessoal e liberdade para desenvolver interesses pessoais. Precisamos de atividades e amizades juntos, como família, e podemos querer ou precisar de atividades individuais, amigos ou atividades de crescimento. Como um indivíduo, uma pessoa deveria ser capaz de recusar algo que não quer fazer e não ter medo da rejeição. Esta é uma parte importante de um relacionamento saudável.

Pedidos Respeitosos

Ser capaz de identificar e comunicar necessidades e desejos sem temer rejeição significa ter pedidos respeitosos. Novamente, precisamos ser maduros o bastante para sermos capazes de identificar essas necessidades e expressá-las.

Muitos casais se programam para o desastre ao esperar a outra pessoa ser capaz de ler sua mente e satisfazer as necessidades projetadas. Se eu não souber o que preciso ou não puder identificar, meu cônjuge pode estar tentando satisfazer a necessidade que ele ou ela percebe. Porém, a necessidade ainda não foi identificada, então não posso reconhecer o esforço, e o cônjuge nunca chega à reta final. Minhas necessidades estão sendo satisfeitas, mas eu não conhecia minhas necessidades e o esforço do cônjuge foi desperdiçado. Eu ainda estou carente.

Quando as necessidades são normalmente identificadas, devemos conversar sobre elas e não nos sentir rejeitados se a comunicação ou a resposta for diferente do jeito que pensamos que deveria ser naquele momento. Lembre-se — estamos lidando com perspectivas, e um relacionamento saudável permite individualidade e perspectivas.

Educando Filhos emocionalmente Saudáveis

Mamãe ama papai, papai ama mamãe, e os filhos estão seguros. A família se comunica. Porém, como acontece em muitas situações hoje, muitas famílias estão separadas por meio da separação ou do divórcio marital. O pai pode dizer ao filho: "Querido, eu amo você, e sempre amarei. Eu sempre serei seu pai". A mãe pode dizer basicamente a mesma coisa ao filho. E ainda assim a criança não responder. Essas afirmações não são tão confortadores para a criança quanto a segurança do amor do pai pela mãe e da mãe pelo pai. Quando a criança percebe que a mãe e o pai amam um ao outro e estão comprometidos um com o outro pelos conflitos resolvidos, comunicando, alimentando e se comprometendo, a criança então se sente segura e protegida, sabendo que o lar é um lugar seguro para se viver.

Por exemplo, a família tem um período de recreação juntos. É durante a recreação que a criança vê o compromisso e a maneira de a família se relacionar entre si. A criança vê o esforço de equipe, competição, negociação, intimidade, comunicação, compartilhar, tocar, estabelecer objetivos, ânimo, recompensas. Isso produz segurança. Individualidade é encorajada e sentimentos são permitidos, e até o sentimento dos filhos é tratado com respeito. Se não respeitamos os sentimentos dos filhos, eles desenvolverão o sentimento de que *"eu não tenho valor e ninguém quer me ouvir"*.

A criança se tornará um adulto que reprimirá sentimentos e se expressará de muitas maneiras só para chamar a atenção, esperando que alguém veja a dor e venha para o resgate. Devemos desenvolver a habilidade para lidar com sentimentos de uma criança e trazê-la à maturidade num lar seguro.

Comunicação Apropriada

Todos os membros da família devem ter o direito de expressão e a habilidade para conversar e saber que estão sendo ouvidos e compreendidos. Saber compreender a importância do tom de voz e da linguagem corporal na expressão é uma habilidade para ouvir. Filhos diferem nas maneiras de ouvir, falar e se comunicar. Alguns são mais auditivos ou verbais. Alguns são muito "toque-abrace" e precisam de atenção física, enquanto outros são mais visuais. Os pais precisam identificar a predominância de cada criança e tentar comunicar-se com essa criança no estilo dela.

Responsabilidades Iguais

A ideia de igualdade de responsabilidades inclui compartilhar tarefas, desenvolver mutuamente atividades que agradem a todos, negociar, estar acessível para ajudar quando solicitado, comprometer-se a compartilhar momentos específicos, apoiar objetivos um do outro, experimentar juntos programas de crescimento para casais e até buscar aconselhamento se necessário.

A família saudável compartilha o poder dentro da família. Ninguém tem todo o poder.

Relacionamentos Sexuais Saudáveis

Relacionamentos sexuais saudáveis são extremamente importantes. Incluem a habilidade para comunicar-se um com o outro acerca das necessidades, preferências ou desejos, somada ao respeito às inibições um do outro por causa dos traumas prévios, cada um tendo o direito de aceitar ou recusar sem medo da rejeição.

Se uma mulher foi prejudicada sexualmente na infância e seu marido exige o tipo de atividade sexual forçada, ele se coloca no lugar do abusador da infância e ela terá uma tendência a afastar-se dele sexualmente. Até que tenha uma compreensão dessas questões e dinâmicas, e esteja confortável com esse tipo de atividade sexual, ela precisa ser capaz de expressar que não está confortável nessa área e não ser rejeitada por fazer isso. Se o marido forçar essa questão, ela o verá sob uma luz diferente até que o assunto seja tratado. Muitas vezes ela fechará totalmente suas respostas sexuais porque o vê como abusador.

Desenvolvimento Espiritual

Desenvolvimento espiritual inclui nosso relacionamento pessoal e familiar com Deus. Inclui atividades em família dentro de casa e no lugar de adoração, nossas expressões pessoais de adoração, respeito à adoração e denominação individual, a definição de nossa participação, nosso compromisso financeiro com a fé e a igreja, a definição de nossos sistemas de crenças e tradições, e o treinamento espiritual das crianças. O fluxo espiritual do lar deve ser mútuo. Ambos os cônjuges devem ter se dedicar nesta área.

Passos para um Relacionamento Saudável

Reconhecer o Poder de Atração do Sexo Oposto

Atração pelo sexo oposto é o que une um casal. Homens são atraídos fisicamente pelas mulheres. Se uma mulher está emocionalmente saudável, reage não ao olhar de um homem, porém muito mais à profundidade do caráter dele.

Alguns pastores dizem: "Eu não sei o que fazer com esta dinâmica. Toda vez que num espaço de tempo uma mulher passar por mim, terei essa atração desesperada por ela. O que há de errado comigo? Sou um homem de Deus. Sou um pastor. Por que estou atraído por ela? Por que isso me incomoda tanto? Por que estou pecando?"

Atração pelo sexo oposto não é um pecado; é uma reação natural, emocional e física. Entretanto, o contrato do casamento inclui um compromisso de fechar o coração, a mente e os olhos às coisas que podem violar essa promessa. Depois do casamento, a atração pelos membros do sexo oposto é tentação. E o que fazer com essa tentação que pode levá-lo a pecar. Eu tenho a regra das 72 horas. Se alguém chega até sua vida e há uma atração, não pense nisso por três dias. Quando isso voltar a sua mente, você verá a realidade, e a atração normalmente irá embora.

A mesma regra é verdade quando lidamos com a dor. Se você está se sentindo emocionalmente dolorido sobre algo na vida e as feridas machucam-no desesperadamente, caminhe com essa dor e perceba de onde ela vem, e então lide com isso. Dentro de 72 horas essa dor deve começar a diminuir, e você deve ver a luz no fim do túnel.

Isso se baseia no seguinte: A sexta-feira foi um dia extremamente doloroso para Jesus, mas o domingo veio. Ele entrou com dor na sexta, mas domingo Ele venceu. Eu desafio você a testar a regra das 72 horas. Se você suportar sua dor e preservá-la por 72 horas, deve começar a sentir um alívio.

No meio das 72 horas, saiba onde seus compromissos estão. Tente ter esta atitude: "Eu sei aonde vou. Sei que tenho me comprometido totalmente com Deus. Minha vida inteira é dEle".

Desenvolva uma Amizade

Um problema frequente é que muitos conhecidos são confiados a um nível íntimo de amizade.

Há 4 tipos de amizade: (1) conhecido; (2) casual; (3) próximo; (4) íntimo. Um problema frequente é que muitos conhecidos são confiados a um nível íntimo de amizade. Por exemplo, você arrisca compartilhar um segredo. Três dias depois, ouve outras pessoas falando sobre o segredo. Então você se sente traída. Você compartilhou muito de si com alguém com quem você não teve tempo para desenvolver uma atividade íntima. Considere quem são seus amigos, e coloque-os no nível de amizade adequados ao tipo de relacionamento que tem com eles.

Judy e eu não éramos amigos em nosso primeiro casamento. Éramos conhecidos que estavam casados, viviam e dormiam juntos. Além disso, não tínhamos nada em comum. Em nosso segundo namoro, começamos no nível de conhecimento e depois passamos para o casual. Quando ficamos mais próximos, ela começou a confiar mais em mim. Então fomos capazes de conversar sobre o passado e finalmente um possível futuro. Neste processo eu descobri coisas sobre Judy que nunca soube — não no tempo em que estávamos juntos em nosso primeiro casamento.

Há habilidades para construir ou restaurar um relacionamento. Tornem-se amigos. Torne-se seguro na habilidade de expressar a si mesmo, suas necessidades e sua dor, e saiba que você é seguro para fazer isso. Nenhum de vocês deve estar num modo reativo. Depois que as questões são identificadas, você pode trabalhar esse nível íntimo de amizade. Aqui está um pouco mais de esclarecimento sobre nossa experiência de reconhecer a nós mesmos um no outro.

Enquanto nosso relacionamento estava se desenvolvendo, sentei-me diante de um bloco de anotações. Estava sentindo coisas sobre Judy que nunca sentira, nem quando nos encontramos a primeira vez. Então fiz um inventário pessoal. Se fossemos ficar juntos de novo, o que eu precisava trazer à tona? Com quais negações eu estava lidando? Quais eram minhas questões? Para que vou me esforçar quando formos pais? Levou algum tempo antes de discutirmos sobre o novo casamento, mas comecei a ficar muito transparente comigo mesmo, porque estava quase pronto para envolver alguém mais em minha vida.

Durante esse período, Judy e eu frequentemente nos encontrávamos no Denny's Restaurant. Ela não me encontrava em nenhum outro lugar, mas o Denny's era um lugar seguro. Ela não me permitia apanhá-la em casa. Ela dirigia, porque se ficasse com medo do meu comportamento, podia entrar no carro e ir para casa. Eu não tinha poder e nem controle sobre a habilidade dela para escapar. Sentava do lado mais distante da porta para que ela pudesse sair livremente.

O compromisso contínuo num relacionamento é um processo contínuo.

Mais tarde começamos a sair em grupo. Eu ainda não a buscava, porque ela ainda tinha medo. Porém, eventualmente chegamos ao ponto em que eu podia apanhá-la em casa. Estávamos juntos, mas estávamos em grupo, então ela se sentia segura. Começamos o jogo do encontro a sós exclusivo. Conversávamos sobre casamento ou novo casamento; definimos amor. Discutimos o que é o amor e o que não é, amor maduro e imaturo. Podíamos ver com o que estávamos lidando enquanto começávamos a entrar num relacionamento e nos movimentar em direção a algo que tinha potencial.

O compromisso contínuo num relacionamento é um processo contínuo. Os indivíduos investem a si mesmos no valor um do outro em um modo não sexual estabelecido. Esse é o padrão bíblico. Ela se sente segura porque sabe que é amada por quem ela é, são os dois indivíduos de novo, caminhando juntos e formando a nova entidade chamada "nós".

No altar conjugal o compromisso tem sido feito o valor dela, estabelecido, e se o relacionamento é construído adequadamente, sexualidade e compromisso durarão a vida inteira. A coisa que nós, homens, precisamos compreender é que este compromisso emocional não deveria parar. Contanto que continuemos a investir em nós mesmos e em nossa vida conjugal, como homens, isso refletirá positivamente não somente no relacionamento com a esposa, mas também em como os filhos reagem.

A melhor coisa que você pode fazer para seu filho é amar a sua esposa. As melhores coisas que vocês podem fazer como casal para seus filhos incluem construir um relacionamento, resolver conflitos, administrar a raiva e tornar-se estável, confiável e responsável. Crianças são capazes de se recuperar rapidamente, e quando vêem mamãe e papai se dando bem, elas vibram. Portanto, seja honesto e tome um novo rumo.

Figura 10

Passos para um Relacionamento Saudável

INTIMIDADE SEXUAL

Se o relacionamento é construído apropriadamente, a sexualidade e o compromisso durarão por toda a vida.

COMPROMISSO/CASAMENTO

O valor dela foi estabelecido; ela se sente segura e sabe que é amada por quem ela é. Dois indivíduos se unem formando uma nova entidade chamada "nós".

COMPROMISSO EMOCIONAL

[noivado]
Geralmente não mais que um ano.
Um processo contínuo.

AMOR DEFINIDO

[Ficando Firme]
O que é o amor?
Quero realmente investir nesta pessoa?

RELACIONAMENTO

8. Exclusivo	(Um a um)
7. Múltiplo	(Grupo – em pares)
6. Múltiplo	(Grupo – sem pares)
5. Eu comigo mesmo	(Intervalo para avaliar o que eu trouxe ao relacionamento)

AMIZADE

4. Íntimo
3. Próximo
2. Casual
1. Conhecido

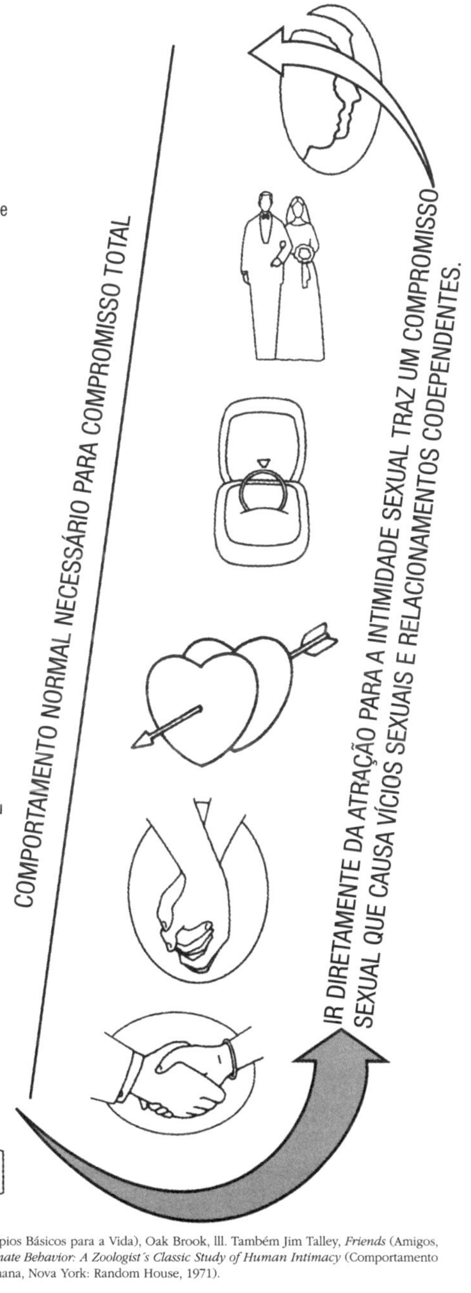

PRESENTE DE ATRAÇÃO

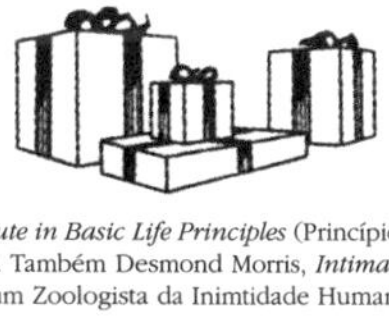

Adaptado de Bill Gothard, *Institute in Basic Life Principles* (Princípios Básicos para a Vida), Oak Brook, Ill. Também Jim Talley, *Friends* (Amigos, publicação independente, 1992). Também Desmond Morris, *Intimate Behavior: A Zoologist's Classic Study of Human Intimacy* (Comportamento Íntimo: Um Estudo Clássico de um Zoologista da Inimtidade Humana, Nova York: Random House, 1971).

Para Reflexão

Como você avalia seu relacionamento? Você se reconhece no ciclo de um relacionamento não saudável? Se sim, você pode sentir-se numa armadilha. Aja com o coração. Você não tem nada a perder e tudo a ganhar por ser transparente. Considere as respostas a algumas das perguntas mais comuns das pessoas que podem estar na mesma situação que você. Considere os seguintes estigmas das mulheres vítimas de abuso:

Estar Sozinha

Muitos de nós achamos que estar sozinhos é uma evidência de não ser desejado, amado ou aceito. Na realidade, esses sentimentos originam-se do nosso próprio medo de rejeição, da carência de valor ou autoestima, e o modo como fomos tratados a vida inteira.

Cada um de nós foi criado com valores e importância. Leia essas palavras em Salmos 139.13-16:

> Pois possuíste o meu interior; entreteceste-me no ventre de minha mãe. Eu te louvarei, porque de um modo terrível e tão maravilhoso fui formado; maravilhosas são as tuas obras, e a minha alma o sabe muito bem. Os meus ossos não te foram encobertos, quando no oculto fui formado e entretecido como nas profundezas da terra. Os teus olhos viram o meu corpo ainda informe, e no teu livro todas estas coisas foram escritas, as quais iam sendo dia a dia formadas, quando nem ainda uma delas havia.

Judy. Falando como alguém que foi casada e basicamente tornou-se um clone do esposo, eu estava associada ou era valorizada por estar com meu marido. Quando tudo isso veio abaixo, foi como se eu fosse uma gêmea siamesa partida sem identidade própria. Eu estava com medo de ficar só, porque tinha sido uma marionete que não se conhecia direito, e não estava certa de que pudesse fazer isso por mim mesma. Contudo, eu pude, e encontrei forças que não sabia que tinha.

Estar Solteira/Divorciada

Estar solteira e/ou divorciada sempre carrega consigo um estigma na igreja e na sociedade. As conclusões são: "Eu não sou completa sem alguém"; "Devo ser uma pessoa má porque não consegui fazer meu cônjuge feliz"; "Eu provavelmente não tentei o suficiente para fazer com que as coisas funcionassem". Lembre-se de que essas afirmações podem necessariamente não ser o que os outros estão dizendo, mas pode ser algo que estamos sentindo por causa do que pensamos. Em sua cabeça, você precisa ter a compreensão de que fez tudo o que era humanamente possível para fazer as coisas funcionarem. Abandone esses pensamentos, e pare de culpar-se.

Sofrer Abuso

Como já mencionamos antes, o ato de ser vitimado normalmente começa na primeira infância. Muitas vezes o abuso vem de dentro da família de origem; para algumas mulheres e meninas, o abuso vem de fora da família. Frequentemente ele procede de ambos lugares, colocando as últimas numa dupla prisão. A família baseada na vergonha não é um lugar seguro onde as vítimas podem resolver seus traumas. Famílias baseadas na vergonha não conversam, não sentem, não confiam, então, as crianças não recebem ou não podem receber validação, cuidado e compreensão, que levam ao processo de cura. As crianças acreditam no conto do vigário do conhecimento de que o trauma ou abuso foi responsabilidade e pecado dos abusadores, não delas mesmos. Sem libertar-se de tal conhecimento, as crianças têm sido condenadas a ser vítimas para o resto de suas vidas, sempre vivendo numa autodúvida e assumindo a responsabilidade da vida pelo abuso contínuo. Para superar esse estigma, precisamos reconhecer que há uma fonte para nossos sentimentos, mas a realidade é que ainda estamos ilesos com a habilidade para assumir o controle de nossa vida e dirigir novos caminhos, por escolha. Esse processo requer conhecimento, compreensão e um sistema de apoio.

Ficar sem Dinheiro

Como mencionamos nos capítulos anteriores, o desenvolvimento atrasado manifesta-se num ponto de crise. A vergonha de estar falida ou pobre e à mercê de um esposo controlador pode ser paralisante, e vivemos em um medo e ansiedade tremendos. Com essa dinâmica presente em nossa vida, sentimos que temos perdido o controle de nós mesmos, não há saída, não temos opções, estamos à mercê de outra pessoa, estamos envergonhados, sentimo-nos como uma criança. Com tudo isso ficamos assustados, porque costumávamos ter apoio financeiro, e agora estamos por conta própria. Questões continuam vindo a nossa mente: "Como vou fazer isso?"; "Será que conseguirei um emprego?"; "Serei capaz de cuidar de mim e das crianças?" Sentimo-nos não somente paralisados, mas quase incompetentes.

Este é o tempo que você tem permissão para assumir o controle de sua vida, ser criativa e perceber que é um indivíduo com valor. Desenvolva amizades que possam encorajá-la e possivelmente ajudá-la a desenvolver opções. Lembre-se de que desenvolver as amizades corretas pode ser seu primeiro passo na superação dos estigmas.

Questões das Mulheres que Sofrem Abuso

Deus me amará ainda que eu deixe meu esposo?

Sim! Divórcio não é um pecado imperdoável. Ele sempre nos amará por ser, não por fazer. Deus detesta o abuso. O abuso não é de Deus. Embora Ele odeie o divórcio, não odeia a pessoa que se divorcia ou separa. "Porque o Senhor, Deus de Israel, diz que aborrece o repúdio e aquele que encobre a violência com a sua veste" (Ml 2.16).

O que a Bíblia diz sobre divórcio e separação?

Em Malaquias 2.16, lemos que Deus odeia o divórcio, mas Ele também diz que aborrece o homem que cobre sua esposa com violência. Em 1 Coríntios 7.5, Paulo escreveu: "Não vos defraudeis um ao outro, senão por consentimento mútuo, por algum tempo, para vos aplicardes à oração". O caso de violência doméstica é uma razão para que haja uma separação com um acordo e para oração.

A *Life Skills* tem desenvolvido um fluxograma de separação estruturada que temos usado com sucesso por anos. Contém diretivas para cada cônjuge e uma organização de tempo para dar espaço para o crescimento, o amadurecimento, e a resolução de questões individuais e conflitos. O acordo então é assinado, e as diretrizes, colocadas em prática.

A Bíblia diz não ao divórcio, exceto no caso de adultério. Vamos olhar o que é realmente o adultério. Romanos 2.22 afirma: "Tu, que dizes que não se deve adulterar, adulteras?" Adultério pode ser físico, emocional ou fantasia no teatro da mente. Jesus disse: "[...] qualquer que atentar numa mulher para a cobiçar já em seu coração cometeu adultério com ela" (Mt 5.28). Muitas vezes a igreja olha o físico como a única maneira de cometer adultério. Quando você dá mais afeição a alguém além de sua esposa ou uma amizade com o sexo oposto é melhor que sua esposa, você se coloca numa situação perigosa, que pode levá-lo a um caso amoroso. Então, com o tempo, isso pode e deve levá-lo a um caso físico.

Casos físicos começam com uma fantasia. A mente pode visualizar e avivar uma imagem ou fantasia visual. Além disso, pode levá-lo a um sórdido modelo de pensamento vivo sem consequências aparentes. Fantasia é o ato de colocar em sua mente a imagem pornográfica proveniente de coisas que você tem experimentado ou desejado. Depois de cinco a sete vezes fantasiando sobre uma situação ou pessoa, a mente começa a acreditar nisso como realidade. Isso é especialmente perigoso quando a pessoa usa a fantasia para autossatisfação. A mente vê a imagem viva, e o corpo físico reage. A mensagem à mente é: "Este é um relacionamento atual" e o comportamento reativo é enfraquecer diante do obstáculo real e dar prosseguimento ao que a mente percebe como "um negócio que já foi feito".

O que Deus pensa sobre o abuso?

Deus odeia o abuso. Em Êxodo 22.22 diz: "A nenhuma viúva nem órfão afligireis". Jesus disse em Lucas 4.18: "O Espírito do Senhor é sobre mim, pois que me ungiu para evangelizar os pobres, enviou-me a curar os quebrantados do coração". Novamente, Malaquias 2.16 afirma claramente: "Porque o Senhor, Deus de Israel, diz que aborrece o repúdio e aquele que encobre a violência com a sua veste". Em Salmos 72.14 declara: "Libertará a sua alma do engano e da violência, e precioso será o seu sangue aos olhos dele".

O que a submissão tem a ver com tudo isso?

Muitas vezes na igreja a submissão do mundo é incutida na cabeça das mulheres por homens que são emocionalmente manipuladores ou abusados, a fim de convencê-las a seu jeito e manter o poder e o controle. A submissão bíblica é tão importante para o marido quanto para a esposa.

Em Efésios 5.25-28 nos recorda que, como Cristo morreu pela Igreja, um homem deve dar a sua vida por sua esposa. Um homem abusivo e infantil abusará ao dizer que ela tem de estar sujeita ao seu marido em tudo. Ele não percebe que essa ordem ao marido é para que ele literalmente deseje sacrificar a vida dele por ela. Que submissão é maior? A maior submissão é para o homem. O texto em 1 Pedro 3.5,6 declara, em essência, que a esposa não deve estar apavorada, temerosa ou cheia de ansiedade em um lar piedoso. A passagem como um todo é uma ordenança ao homem para que crie um lugar muito seguro, onde a mulher não fique apavorada ou viva com medo e ansiedade. Vamos observar o restante da incumbência.

O texto em 1 Pedro 3.7-9 prossegue apresentando o modelo de administração do lar quando menciona no início que o marido deve viver da seguinte maneira: atenciosamente, reconhecendo de modo inteligente o relacionamento conjugal, honrando a mulher como fisicamente mais fraca, reconhecendo a igualdade (junto aos herdeiros da graça), com a mesma mente (unidos em espírito), partilhando com sua esposa, amando-a, de modo compassivo, cortês, terno, humilde, nunca retornando mal por mal, nunca retribuindo insulto por insulto, jamais xingando, sem censura ou repreensões severas, sempre abençoando, orando pelo seu bem-estar e felicidade, por sua proteção, compadecendo-se verdadeiramente (colocando-se no lugar dela), amando-a verdadeiramente.

Se um marido seguir esse modelo, a família será abençoada como um todo. Se um homem se rebela contra esses princípios, suas orações serão impedidas e excluídas, e ele não será capaz de orar efetivamente (1 Pe 3.7).

A partir da pesquisa na Palavra de Deus, a conclusão do autor é que a única oração que Deus ouvirá de um homem que abusa de sua esposa e família é a oração do arrependimento. Todos os outros pedidos são impedidos ou negados por causa da aversão divina à violência.

O que eu deveria esperar de meus amigos, pastor e conselheiros?

É lamentável o que acontece na igreja quando uma mulher é vítima de abuso. Parece que a congregação, seus amigos e seu pastor esquivam-se de lidar com a situação. Amigos não sabem o que dizer, e têm medo de ouvir o que a vítima está realmente dizendo. Então ela se sente abandonada por aqueles de quem ela esperava apoio e ajuda.

Vamos descrever o que é um amigo verdadeiro antes de seguirmos adiante. Esta é uma pessoa a quem você pode dizer sua informação confidencial sem o medo traição, a menos que se trate de uma ameaça à vida. Isso é chamado de confiança.

Como uma Amiga Pode Ajudar uma Mulher que Sofre Abuso?

- Ouça e acredite. Seja pronta para ouvir o que ela tem a dizer e por todo o tempo que ela leve para fazer isso.
- Demonstre preocupação genuína. A vítima precisa saber que você se importa com ela como um indivíduo e que você é verdadeiramente amiga dela.
- Seja digna de confiança e calma. A vítima precisa saber que pode se abrir com você e que é seguro fazer isso.
- Seja paciente. Não espere que ela se mova rapidamente através do processo de mudança. Se ela está em perigo imediato, você pode querer convidá-la junto com os filhos para ficar em sua casa por uma noite ou duas até que você ou mais alguém possa ajudá-la a encontrar outro lugar seguro.
- Eduque-se. Conheça os serviços disponíveis em sua área e os procedimentos a seguir, tais como chamar reforço da lei ou uma agência. Fique informada acerca dos abrigos e serviços destinados a mulheres agredidas em sua área.
- Encoraje a vítima. Ajude-a compreender que ela tem escolhas, e permita-lhe fazer suas próprias escolhas. Seja cuidadosa ao encorajá-la a permanecer numa situação de abuso. Isso pode ser ameaçador à vida. Lembre-a de que ela não é louca.
- Ajude-a perceber que não é responsável pelo comportamento violento do marido.

- Lembre-a de que Deus não quer que ela sofra abuso. Ele deseja que ela seja tratada com amor e respeito.
- Ajude-a ver-se como capaz e digna de amor.
- Esteja alerta aos sinais de abuso. Estes poderiam incluir roupas de manga comprida no verão, óculos de sol em lugares fechados, afastamento de eventos sociais, bem como feridas inexplicadas.
- Tranquilize as crianças e ajude no que for possível para satisfazer as necessidades dela.
- Ore com ela e por ela.

O que não fazer

- Não lhe diga para permanecer no lar violento.
- Não perca a paciência; seja sensata, dê um conselho.
- Não lhe diga que é insana por ficar nessa situação.
- Não lhe diga que você não suportaria tal tratamento.
- Não tente conversar com o marido dela ou confrontá-lo.
- Não tente intervir num episódio violento, em vez de ligar para a polícia.

Muitos pastores têm medo de olhar ou se envolver com a situação, porque "não acontece em minha igreja". Durante um dos nossos treinamentos da *Life Skills*, um dos pastores do grupo se levantou e declarou enfaticamente que foi pastor por 23 anos em várias cidades e nunca tinha acontecido isso; que eu estava fazendo tempestade num copo d'água; exagerando o problema; muito barulho por nada. "Abuso físico e emocional não existe no corpo de Cristo", ele disse. Obviamente, não preciso dizer que esta parece ser a mentalidade de muitas igrejas e denominações. As estatísticas nos dizem que o abuso dentro da igreja é tão grande, se não for maior, quanto no mundo secular. Além disso, frequentemente não há um lugar seguro nem na igreja para uma mulher vítima de abuso encontrar ajuda e esperança.

Judy. Recordo-me de minha própria experiência, quando sofri abuso por tanto tempo, então me separei e pedi o divórcio. Eu me voltei para a igreja buscando amizade e alguém para me ouvir, mas não encontrei ninguém — incluindo o pastor, que não tinha tempo para mim. Consegui uma rápida oração e um tapinha nas costas de outro pastor, como se eu tivesse uma doença contagiosa, que ele tinha medo de contrair. Outro pastor não conseguiu encontrar tempo em sua agenda para conversar comigo. Descobri que eles têm medo de mulheres solteiras e vítimas de abuso, portanto, afastam-se de todas elas. Eles se recusam a acreditar que o marido pudesse ser como ela descreve — além disso, ele pode ser um membro do ministério, um líder da igreja, um professor da Escola Dominical, ou até um amigo íntimo. Temos visto até pastores envolvidos em questões de abuso. Neste livro você perceberá que se espera mais de um pastor.

Muitos conselheiros não têm a experiência ou o conhecimento para compreender as dinâmicas de uma violência doméstica. Ao procurar por um conselheiro, faça perguntas como: Você tem alguma experiência em trabalhar com violência na família? Verifique a experiência e o treinamento dele ou dela. Não tenha medo de perguntar ao conselheiro questões específicas: "Você faz aconselhamento de casal com famílias violentas?" Se a resposta for sim, você verá que ele ou ela não está qualificado para lidar com questões de vitimização. A regra número 1 para trabalhar com famílias violentas é aconselhamento individual.

Meu marido não tem me machucado, e mesmo assim sei que existe algo errado. Eu poderia estar sofrendo abuso?

Há vinte áreas de abuso, e só uma é física (veja figura 1, capítulo 2). Se você vive com medo ou sente-se insegura, definitivamente há algo errado. Há a possibilidade de abuso emocional de algum tipo. Fique segura — desenvolva um plano de segurança.

Como posso convencer meu marido a buscar ajuda?

Você não pode. Busque ajuda para si mesma. Enquanto você desenvolve sua personalidade, desenvolve sua individualidade, estabelece objetivos e limites. Em suma, viva. Ele começará a sentir-se abandonado e a reagir à medida que perde o controle sobre você. Se há abuso físico em casa, as consequências são a única linguagem que o cônjuge compreende. Isso pode significar uma separação estruturada debaixo da supervisão de um conselheiro treinado. A maior parte do tempo, o abusador é motivado pela perda e pelo medo do abandono.

Deveríamos considerar o aconselhamento de casal?

Definitivamente não! O abusador tem uma dupla personalidade, que ele tem aperfeiçoado ao longo dos anos para esconder seu lado negro. Para o mundo lá fora, ele parece bom e sabe mencionar as palavras certas. Ele tem uma técnica de sobrevivência desenvolvida e pode convencer um conselheiro ou um pastor que não está consciente das dinâmicas da violência.

O cenário típico de aconselhamento de casal em que a esposa sofre abuso se configura da seguinte maneira: Eles vão à primeira sessão e tentam se familiarizar. Ele é sociável, comunicativo ou talvez muito comunicativo, culpando e explicando os problemas dela. Ele pode até se esconder atrás de uma terminologia e estrutura religiosa. Se o conselheiro pergunta a ela se há abuso emocional, sexual ou físico, ela não será capaz de revelar a verdade na frente do esposo, temendo o que acontecerá quando saírem da sessão. Além disso, sua confiança foi traída e o conselheiro perdeu toda a credibilidade na mente dela. Ela paralisa e perde a esperança. Depois de duas ou três sessões, o conselheiro geralmente concentra-se nos problemas dela, depressão e muito possivelmente necessidade de medicação para ela. Muitas vezes o marido convence o conselheiro de que ele não precisa de outro aconselhamento. Mais uma vez, ele a manipula para convencê-la de que está louca.

Na *Life Skills*, o procedimento é aconselhar a mulher num lugar seguro sem o esposo presente. É preciso construir a confiança, a fim de que ela saiba que não será traída e que o conselheiro acreditará nela. Ela pode contar a história várias vezes porque ninguém nunca as ouviu. Isso dá ao conselheiro a pista sobre o tipo de abuso que a esposo está cometendo. O conselheiro então aconselha a esposa individualmente. Tendo o conhecimento das dinâmicas do lar, o conselheiro é capaz de conduzir o questionamento do esposo pela responsabilidade pessoal e responsabilidade geral. Se há abuso físico e emocional, a *Life Skills* recomenda de nove meses a um ano de aconselhamento individual antes de reunir o casal.

Meu marido me machucou uma vez. Isso acontecerá de novo?

Muito provavelmente se ele bateu uma vez, baterá de novo. Quanto mais tempo estivermos em relacionamentos sem resolver nossos conflitos, mais subimos na escala de nossa raiva e de nossa necessidade de controlar. É como estar viciado numa droga, sempre precisando de mais. Pode começar com abuso verbal, em seguida, socos em paredes ou mesas, que produzem medo. Finalmente mesas, paredes e gritos não são suficientes. Você nunca sabe quando ele escolherá você como o próximo objeto de raiva e abuso dele. Temos visto casais em cujo relacionamento ocorre abuso verbal e emocional por 25 a 30 anos, até que o abuso se torna físico. A essa altura, buscam ajuda, quando deveriam ter vindo anos antes para lidar com as questões essenciais que levam ao incidente físico.

Meu marido diz que se eu não o tivesse provocado, ele não teria perdido o controle. É verdade?

Isso não é verdade. Nenhum comportamento de qualquer mulher justifica ou provoca violência. Nenhuma mulher merece ser machucada, empurrada, chutada ou fisicamente ferida de qualquer maneira. Uma mulher não provoca o marido. Ela deveria ter o direito de expressar-se, o direito de expressar sentimentos e opiniões. Ela tem o direito de expressar ansiedades, medos e pensamentos. Tem o direito de estar envolvida no processo de tomar decisão no relacionamento deles. Tem o direito de fazer perguntas e obter uma resposta civilizada. Tem o direito de discordar e resolver conflitos sem que o marido a veja como inimiga. Ela tem o direito de sentir-se segura em casa. Aqui está o problema — um homem controlador não tem habilidade para reconhecer que ela é um cônjuge e que são uma equipe. Ele a vê como uma propriedade em vez de um indivíduo de valor, além de tornar-se uma ameaça ao modelo de controle dele. Ele é responsável pelo comportamento reativo. Ele deveria controlar sua própria raiva, que pode significar dar um "intervalo" ou buscar aconselhamento.

Por que me sinto como uma criança neste relacionamento?

O homem que está controlando um relacionamento assume o poder não somente de marido, mas também de pai. Ela é uma propriedade para ele, e ele acha que tem o direito de moldá-la, guiá-la, adaptá-la para satisfação de seus desejos egoístas, e então sente que ele tem o direito de puni-la por rebelar-se ou não satisfazer suas exigências. Um relacionamento verdadeiro e saudável introduz cada questão no nível de adulto para adulto — comunicação, resolução de conflito, crescimento pessoal, maturidade e compromisso. No relacionamento não saudável, um cônjuge assume o poder de um pai e empurra o outro para um modelo infantil. Para curar esse cônjuge, aquele que se sente como uma criança precisa de um sistema de apoio para ajudar a compreender como mover-se para o nível adulto e desenvolver sua individualidade e identidade. Este é um processo que leva tempo; seja paciente consigo mesmo.

Eu sinto como se tudo que desse errado fosse culpa minha.

Homens que são controladores nunca desenvolvem suas personalidades, essências nem suas identidades. Eles vivem numa base de vergonha, que diz: "Eu tenho meu comportamento". Na mente deles, questionar o comportamento deles é questioná-los como pessoas. Isso produz um tipo de adulto infantil que nunca está errado. Eles aprendem muito cedo a culpar alguém, uma circunstância ou uma situação para que eles não tenham que ser justificáveis e responsáveis por suas reações, decisões ou comportamentos. Até lá, como um homem num relacionamento, ele tem aperfeiçoado sua técnica de sobrevivência a ponto de sempre culpar a esposa, os filhos, o chefe, o pastor e outros. Se algo der certo, a glória é sua; se der errado, a culpa é de outra pessoa. Esse também é o tipo de pessoa teimosa e que luta para convencer os outros de que sua opinião é a correta.

Por que ele era tão maravilhoso quando nos conhecemos?

O velho ditado: "Ela namorou o homem e casou-se com o garoto" é verdade. Um homem que é controlador desenvolve uma dupla personalidade, uma para o mundo lá fora, que não é consistente ou estável, e outra que ele revela por trás das portas fechadas. Esta é chamada de personalidade Jekyll-e-Hyde. Até que esteja certo do compromisso ou afeição, ele parece ser atencioso, extrovertido, gentil, generoso, cortês, bom garoto. Isso faz parte da conquista dele. A mudança vem quando ele é capaz de ter relações sexuais e a possui ou se casa com ela, gerando domínio. Ele conquistou o prêmio e agora, por causa da intimidade física alcançada, reduz os limites e começa seu método de controle para mostrar que é o "rei do castelo". Agora ela vê o outro lado, porque ele não pode sustentar a máscara de bom 24 horas por dia.

Eu tenho que ficar com ele para proteger as crianças?

A segurança de uma criança é que o pai ama a mãe, e a mãe ama o pai. Isso produz um meio seguro, acolhedor e educativo para se crescer. Temos visto ao longo dos anos, enquanto conversamos com os filhos e observamos seu comportamento, que eles demonstram as disfunções do lar. Um filho que cresce vendo violência ou abuso em casa muito provavelmente se tornará um abusador e cometerá isso na próxima geração. Uma garota que cresce dentro desse tipo de disfunção, na maioria das vezes, se tornará uma vítima como a mãe.

Judy. Eu fui uma vítima de mim mesma, mas, depois do divórcio, as crianças ficaram com raiva de mim. Porém, vim a descobrir que elas ficaram com mais raiva de mim do que de Paul porque não podiam compreender a razão de eu não tê-lo abandonado mais cedo e por que permitia que ele nos tratasse tão mal. A casa deles nunca era segura. Naquele tempo eles lutavam contra a ansiedade e a incerteza do que ele poderia fazer da próxima vez que ficasse nervoso.

Eu deveria dar-lhe outra chance?

Quando há um incidente abusivo, há necessidades de ter uma consequência. Como uma criança que expressa suas ações, o comportamento errado precisa ser seguido de uma consequência. Homens que são abusadores em geral foram educados em lares onde havia ameaças, perigos e possivelmente abuso, mas não havia uma consequência direta para o comportamento deles. Eles aprendem a convencer-se de situações e a culpar outras pessoas, situações ou circunstâncias. Acreditamos que um homem pode mudar, mas é preciso um tempo e uma intervenção de terceiros. Ele não pode fazer isso sozinho. Ele prometerá qualquer coisa, até ir ao aconselhamento na igreja, mas não tem capacidade de mudar sem aprendizagem, conhecimento, disciplina e responsabilidade. Essas coisas são aprendidas; elas não vêm naturalmente. A vítima foi ferida, a confiança foi quebrada e a maior parte do tempo a esperança é perdida. Só depois que ele recebeu ajuda e provou a mudança por um período de tempo — que pode incluir algum teste relacionado aos direitos pela perda da confiança — você deve começar qualquer processo rumo à reconciliação. Lembre-se do velho ditado: "Ações falam mais alto que palavras". Precisamos saber se a mudança é real ou se são apenas palavras da boca para fora. Qualquer um pode prometer qualquer coisa. Reconciliação é um processo e leva tempo. Levou tempo para entrar nessa situação, e vai levar tempo para mudá-la.

Disseram-me que preciso estabelecer limites. O que isso significa? Como estabeleço um limite?

A vítima nesse tipo de situação geralmente vem de um lar onde não há limites. Dizer a alguém para estabelecer limites produz medo. Para aprender a fazer isso, procure um sistema de apoio para ajudá-la a compreender as dinâmicas do lar disfuncional e a ver o que é normal. Esta é uma parte do processo de crescimento, aprender a resolver conflitos, gerenciar raiva e desenvolver identidade.

Por compreender o que é normal e desenvolver uma identidade, identifico meu ato de vitimar e aprendo a dizer não. Um limite diz: "Eu não permitirei que você faça isso comigo de novo; haverá uma consequência". Estabeleça qual será a consequência, e então defenda seu ponto de vista. A consequência pode ser ligar para a polícia; uma separação estruturada; um aconselhamento intenso; e assim por diante.

Um casal com o qual trabalhamos nos contou sua história a respeito das consequências. O dia que eles se casaram ela avisou-lhe que, se a machucasse, ele nunca deveria dormir, pois ela o mataria. Três semanas depois ele a machucou. Ela esperou duas semanas e não reagiu. Ele pensou que ela tivesse esquecido o ocorrido. Ele estava tirando uma soneca, dormindo só com a roupa de baixo, quando ela chegou ao quarto e o viu adormecido. Ela foi à garagem, pegou uma tábua, voltou para o quarto, e golpeou com toda a sua força na parte de trás das coxas dele. Ele pulou gritando e berrando. A reação dela era que não haveria outra chance. "Não me machuque de novo", ela disse. Ele entendeu a mensagem, e por vinte e cinco anos viveram sem violência física; não obstante, triste dizer, muito abuso emocional prosseguiu naqueles vinte cinco anos. A moral da história? Estabeleça limites.

Questões dos Homens que Abusam

Por que estou fora de controle?

Como estudado no capítulo anterior, se você foi ferido antes da idade da responsabilidade e seu processo de desenvolvimento foi "congelado", você fica preso à idade das diretivas e torna-se muito dependente e incapaz de tomar decisões. Você pode tomar decisões por outras pessoas e controlar a vida delas, mas as decisões por sua vida são feitas mediante indecisão, circunstâncias, situações e outras pessoas. Você não tem o controle de sua vida, então tenta manipular e controlar circunstâncias, situações e outras pessoas. Isso produz uma vida de caos.

Eu odeio o que faço, então por que faço?

Quando você é ferido na primeira infância, nunca atinge emocionalmente a idade da decisão. Muitas vezes você sabe o que deve fazer, mas é levado pelos sistemas de crença irracional e métodos de sobrevivência para manter o controle. Você termina fazendo o que odeia porque é levado por suas mágoas e conflitos não resolvidos. Você termina agindo como uma criança indisciplinada, fazendo o que quer, em vez de fazer o que sabe que deve fazer. Embora você saiba diferençar o certo do errado, ainda vive de modo indisciplinado.

Eu só a reprimo. Isso é abuso físico?

Sim. Anteriormente neste livro, observamos as diversas áreas de abuso, e reprimir é uma das áreas consideradas como abuso e é contra a lei. Muitas vezes quando um homem está reprimindo sua esposa, ele está na escala da raiva e não tem consciência da própria força. Temos visto casos em que as mulheres são reprimidas, e ao lado de seus braços encontram-se marcas do tamanho de uma impressão digital deixadas "somente pela repreensão" dele, então ela não poderia machucá-lo de volta.

Minha casa é meu "castelo". Por que ela não pode fazer apenas o que digo?

Este é um pensamento medieval. A Escritura sempre nos fala que somos um quando entramos num relacionamento conjugal. O contrato de casamento produz uma nova entidade chamada "nós". Um verdadeiro relacionamento conjugal é uma parceria e um esforço de equipe. Suas informações e opiniões em qualquer situação devem ser valorizadas e encorajadas, porque acrescentam uma perspectiva diferente, que produz uma visão mais vasta em relação às tomadas de decisão e à visão da realidade da situação (Ef 5.28-30).

Algumas vezes eu a amo; outras vezes, a odeio. Por quê?

Se suas feridas da infância estagnaram seu processo de desenvolvimento, você nunca desenvolveu sua real personalidade e caráter. Você desenvolveu uma pseudopersonalidade que não é uma identidade verdadeira. Essa personalidade consiste em expectativas de pessoas importantes em sua vida provenientes de quem você teme a rejeição. A pseudopersonalidade torna-se muito mutável, dependente de com quem você está e onde você está. "O homem de coração dobre é inconstante em todos os seus caminhos" (Tg 1.8). Este é o alicerce da personalidade de Jekyll-e-Hyde a que nos referimos anteriormente. Nossos relacionamentos de amor-ódio com pais, irmãos, cônjuges, filhos e amigos estão baseados na carência da essência do desenvolvimento da personalidade, maturidade e caráter. Enquanto você cresce e amadurece, torna-se decidido, deixando as coisas e os pensamentos de menino (1 Co 13.11). Você então está no controle de suas decisões e de sua própria vida. Amor é uma escolha baseada na maturidade e no compromisso.

Se ela conseguisse ajuda, estaríamos bem, não estaríamos?

Novamente essa questão volta à fixação do desenvolvimento. Se você estiver preso na idade das diretivas, o estágio em que os pais consertam tudo, então você está sempre procurando por uma mamãe para fazer as coisas certas para você, porque você não consegue resolver seus próprios conflitos. Você cresce cronologicamente, se casa, e muitas vezes faz sua esposa de mãe. Quando você está em crise, tenta levá-la para consertar isso, ou, em suma, se ela conseguir ajuda, tudo estará ok. Este é o seu jeito de escapar de suas responsabilidades e jogar a responsabilidade para ela. Isso nunca resolve o cerne do problema porque esta é uma questão individual, não conjugal. Você é o único que deve buscar ajuda por meio de aconselhamento.

Por que ela não me ama do jeito que acho que ela deveria?

A maioria dos homens entende a regra de amor num relacionamento conjugal como uma atuação ou sexo. Atuação, para um homem, significa "Eu pago o aluguel, eu compro comida, eu mobílio a casa", e assim por diante. Sexo significa: "Ela cuida das minhas necessidades físicas, limpa a casa, cuida das crianças em retribuição a minha atuação". Esse não é necessariamente um processo de pensamento consciente de um homem, e sim mais uma pretensão sutil impulsionada pela sociedade, pelo comportamento aprendido e pelas feridas da infância. Ninguém nos ensinou o que é amor "real", intimidade e compromisso. A Escritura declara-nos que deveríamos aprender essas coisas com os pastores. Todavia, em nossa sociedade, a família tem sido tão magoada e separada com força que crescemos tentando reinventar o que pensamos sobre o amor.

Por que ela não quer mais se relacionar comigo?

Há diferenças emocionais distintas entre um homem e uma mulher. Sexualidade para o homem é um evento físico. Pode ter um foco e acabar num curto período de tempo. Um homem pode se desligar de um conflito, distrações externas, compromissos, comunicação, e assim por diante, e ter sexo pelo sexo ou autossatisfação. Para uma mulher, sexo é parte de toda a vida, como ser humano. Na cabeça dela, é muito maior do que uma grande imagem. Essa imagem inclui confiança, compromisso, vínculo, intimidade, responsabilidade, atribuições, comunicação, promessas mantidas, respeito, ternura, e coisas relativas a ela e aos filhos. Quando um homem abusa de sua esposa, ele lhe entrega a mensagem de que ela é boa somente para uma coisa — sexo. Quando ela recebe essa mensagem, fica sexualmente inativa, e então ele tem que começar o processo de cortejá-la de novo.

A resposta sexual dela num casamento começa no estágio do namoro ao desenvolver intimidade e amizade não sexual, que desenvolvem um alicerce de confiança. Enquanto o processo de cortejar continua, ele desenvolve a intimidade não sexual dele, que é conhecê-la, ouvir sobre suas experiências da infância, saber sobre as experiências da família dela. Ele lhe dá respeito, e o amor é construído, produzindo uma convicção de é amada por quem ela é, não pelo que faz. Um namoro não sexual até o altar do casamento estabelece a honra dela e valida sua identidade. Na *Life Skills* temos um exercício para casais casados que envolve o começo no processo de encontro não sexual para restabelecer a honra e o valor da esposa.

Ela não deveria ser a única a ir embora?

Isso está ligado à questão do "rei do castelo" que comentamos anteriormente. Nos últimos vinte e cinco anos do movimento da violência doméstica geralmente são as mulheres que saem de casa. Novamente, esse é um pensamento medieval. O homem que controla a família também controla as finanças e espera a mulher sair e dar o jeito dela. Ele abusou, intimidou, controlou e machucou, e ela ainda tem que levar as crianças, interromper suas vidas, e fugir de casa para um abrigo. Ela experimenta muito pouca privacidade e muito pouco, talvez nenhum, benefício financeiro. Geralmente ela fica no abrigo por uma ou três semanas e retorna para casa onde todos os pratos foram usados, o lixo está empilhado, as roupas sujas, e ele está nervoso, exigindo que ela realize suas tarefas de dona de casa, incluindo o sexo. Pensamos que, pelo fato dc o homem ter mais acesso aos recursos e os filhos serem as outras vítimas inocentes, ele deveria ser o único a sair de casa e deixar a esposa e os filhos nos arredores familiares e continuar com o apoio financeiro.

Se ela vai agir como uma criança, eu não deveria tratá-la como uma?

Um casamento consiste em dois adultos que podem ser magoados e muitas vezes têm uma tendência a reagir infantilmente. Isso não dá ao esposo o direito de usar uma regra de pai e punir ou tratar o cônjuge como uma criança. Se um está ferido, o outro deve apoiar e encorajá-lo durante esse tempo. Se isso acontece com frequência, então o aconselhamento deve ser considerado. A mente reconhece as ações mais do que a verbalização. Se um homem trata sua esposa como criança, seu impulso sexual por ele diminuirá rapidamente. Nossas mentes não são programadas para ter sexo com um pai. Se um marido age como um pai disciplinador rígido, ela se fecha. Novamente, ações falam mais alto que palavras.

Depois de tudo que tenho feito por ela, como ela pode fazer isso comigo?

Muitos casamentos estão baseados no "Eu farei por você se você fizer por mim". Este é um pensamento infantil e egocêntrico. Uma criança é motivada somente pela recompensa ou "o que isso significa para mim". Espera-se que um adulto veja o todo, que é o processo de união em longo prazo, que constrói relacionamentos e intimidade. O abuso despedaça essa união. O amor incondicional é dar-se a si mesmo, sem esperar nada em troca (1 Co 13).

Por que ela sempre age como minha mãe?

O modelo dos pais exibido na frente das crianças constrói a expectativa dos filhos para o casamento deles. Gostando ou não, homens têm a tendência para se casar com mulheres semelhantes a suas mães. Eles podem ter tido um relacionamento de amor-ódio ambivalente com suas mães, mas aprenderam a competir. Então, eles namoram, muitas vezes pensando que estão escolhendo cônjuges diferentes de suas mães. Eles podem pensar que escolheram alguém que é completamente o oposto de seus pais, mas há familiaridades básicas das quais ele não está consciente. Inconscientemente é território familiar, tornando mais fácil lutar. Temos uma habilidade para competir com aquilo que é familiar a nós, porque é confortável e não exige um novo pensamento. Se estamos atrasados no desenvolvimento, inconscientemente colocaremos nossa esposa numa função de maternidade, incluindo chamá-la de "mãe", para cuidar de nós, e nos ofendemos pelo fato de que ela está fazendo o que a temos forçado a fazer.

Eu não a machuquei tanto assim. Por que ela está reagindo desta maneira? Eu disse "me desculpe" — isso não é o suficiente?

Muitas vezes um esposo abusivo acha que sua esposa está reagindo mal porque ele não quer ser responsável por suas próprias reações e comportamentos. Muito raramente, quando um homem causa a mágoa, ele não quer ouvir a esposa, assumir a responsabilidade e viver com as consequências do comportamento dele. Uma mulher geralmente não reage mal à primeira ofensa. No começo o homem se desculpa, ela acredita nele. Quando o tempo passa e os eventos continuam a se intensificar, o "desculpe-me" não significa nada. Depois de algum tempo, ele usa "desculpe-me" como uma ferramenta manipuladora para controlá-la pelas costas. "Desculpe-me" começa a significar "eu disse desculpe-me — o que você quer que eu faça, sangre por você, deite e morra, ou o quê? Espera-se que você me perdoe e siga em frente com a vida. Além disso, a Bíblia não diz para perdoar e esquecer?" Isso não é nada mais que abuso espiritual e uma desculpa para evitar a responsabilidade e as consequências por suas ações. As consequências que ele quer evitar são os sentimentos dela e a resolução da questão. Ele agora tem deslocado a responsabilidade das ações para ela, por não perdoá-lo e não reagir. Muitas vezes após um ciclo de violência, progressão, abuso e estágio de lua-de-mel, ele quer sexo e imediatamente. Isso não é amor ou restauração; e apenas uma subjugação e outra forma de abuso. Ele sabe que abusar é quebrar o contrato de casamento (Ef 5.28,30). A violência na família é uma quebra da lei. É um crime.

Tenho medo de que possa machucá-la muito. Eu seria capaz?

Qualquer momento em que não lidamos com nossa raiva e emoções, temos potencial para atacar emocional e fisicamente. Muita de nossa raiva e ira retorna à infância, e aquelas questões que nunca foram resolvidas mantêm-se envenenando o espírito. Enquanto ficamos mais velhos, amontoamos novas questões não resolvidas sobre essas mágoas que envenenam o espírito. Depois de algum tempo, a raiva se torna nossa segunda natureza. Nós nos irritamos facilmente, reagimos sem pensar, e estabelecemos um caminho rumo à destruição. Este é o alicerce para atacar e machucar de maneira terrível aqueles que amamos. Até o fato de pensar na questão de possivelmente machucar uma pessoa significa que precisamos de ajuda. Vamos dar o 1º passo.

Foi um problema pessoal. Por que ela ligou para a polícia?

Ela tem medo. Ela questiona se este não será o momento em que ela pode ser permanentemente ferida ou morta. Um ser humano — homem, mulher ou criança — jamais foi criado para ser vítima de abuso. A Bíblia é muito clara na questão da violência (veja Sl 55). Violência doméstica é um crime. Quando uma pessoa sofre abuso, um crime foi cometido e a intervenção é um procedimento apropriado. Muitos "problemas pessoais" custam a vida das mulheres que guardam segredo. O abuso merece uma consequência. A maioria dos homens que são abusivos não tem consciência de que são responsáveis pelo próprio comportamento.

Por que ela não mantém a boca fechada?

Esta é uma proteção à dupla personalidade do abusador. Ele pensa que ninguém mais considera, que mais ninguém suspeita, que ele poderia fazer tal coisa. Se ela contar, pode arruinar sua reputação, trabalho, ministério, posição social, amizades, relacionamento com os pais, e assim por diante. Muitas vezes a vítima partilhará com um amigo o que está acontecendo, e o amigo não acreditará nela porque nunca viu esse lado da personalidade do abusador. Ela começa a se isolar e pensa que há algo errado com ela. O abuso continua até que ela não possa suportar mais, então ela aproveita a chance e fala; e o abusador sente-se traído. Ela deveria ter pedido ajuda mais cedo. Ela não tem a obrigação de guardar segredo por mais tempo e manter o abuso avançando.

O que minha Igreja Pode Fazer?

1. Estar preparada para se envolver.

Vá em frente. Não se descuide. Se a igreja está realmente comprometida em ministrar às famílias, deve estar preparada para providenciar apoio estrutural. Consulte profissionais em sua área para descobrir como implementar uma intervenção ao abusador e como providenciar proteção à vítima e aos filhos. Entre em contato com um abrigo local.

2. Manter-se na execução do projeto.

Seja persistente. É fácil ficar desencorajado ao trabalhar com a violência doméstica. O processo geralmente é lento. Muitas vezes o abusador está na negação e não quer mudar.

Muitas vezes a vítima é paralisada por grande medo. Espere o inesperado. Até mesmo retrocessos podem acontecer. Seja fiel. Pode ser emocional e fisicamente desgastante, então não permita que só umas poucas pessoas carreguem o fardo. Um ministério de oração intensivo é uma necessidade, a fim de que o apoio possa se expandir.

3. *Estabelecer uma rede de apoio referencial para ajudar a ambos: a vítima e o abusador.*

Uma rede referencial deve incluir hospedagem, alimentação, roupa, serviços de proteção, aconselhamento profissional, sistema de justiça criminal e serviços de agências de emprego. Conheça e use agências confiáveis. A igreja deve ser um ponto local para coordenar a rede de trabalho, mas não deve esperar que faça tudo sozinha.

4. *Manter a responsabilidade do abusador.*

A Igreja é responsável por mostrar verdade e misericórdia. Se lá houve uma separação oportuna à violência física, a responsabilidade regular pode ser mantida. Se as punições foram suficientes e o cônjuge masculino está na cadeia, ele não deveria ser abandonado. Entretanto, ele precisa saber que o que tem feito é um crime e que Deus não aprova a violência doméstica. Esse é o lugar onde a Igreja pode assumir uma postura contra o abuso do cônjuge, além de oferecer apoio com estrutura e responsabilidade. Isso dá esperança de cura para o abusador. Lembre-se: ele precisa de aconselhamento especializado. Faça disso uma parte de sua rede de trabalho.

Questões de Pastores e Conselheiros

Quais são os sinais clássicos de um homem abusivo?

Em seu livro *The Battered* Woman (A Mulher Agredida), Lenore Walker pesquisou as características comuns de um agressor. O homem abusivo apresenta muitas das seguintes características:

1. Baixa autoestima;
2. Crença em todos os mitos sobre relacionamentos agressivos.
3. É conservador, acredita na supremacia masculina.

4. Culpa os outros por suas ações.
5. Demonstra ciúmes exagerados. Para sentir-se seguro, tem de tornar-se envolvido na vida da mulher. Ele suspeita do relacionamento dela com outros.
6. Apresenta uma dupla personalidade.
7. Tem graves reações de estresse durante os momentos em que costuma beber e bater na esposa.
8. Frequentemente usa o sexo como um ato agressivo.
9. Não acredita que seu comportamento violento possa ter consequências negativas. Tipicamente, nega os problemas; torna-se enfurecido se a mulher revela a situação verdadeira. Elemento de destruição/excesso.
10. Agressores geralmente vêm de lares violentos, ou onde uma carência de respeito por mulheres e crianças é evidente. Com frequência, o relacionamento com a mãe foi ambivalente (amor/ódio).
11. Distorção de personalidade é frequente. Possui fobia social ou envolve-se apenas de modo superficial. Extremamente sensível às diferenças de comportamento dos outros.
12. É encontrado em todos os níveis socioeconômicos, educacionais, raciais e grupos etários.
13. Demonstra pouco controle de impulso, temperamento explosivo e tolerância de frustração limitada.
14. Possui necessidade de satisfazer seu ego insaciável (uma qualidade de narcisismo infantil geralmente não perceptível às pessoas do grupo familiar externo).
15. Demonstra qualidades que sugerem grande potencial para mudança e aperfeiçoamento, isto é, frequentes "promessas" para o futuro.
16. Acredita que tem poucas habilidades sociais, descreve relacionamento com sua companheira como o mais próximo que já experimentou, permanece em contato com a família.[1]

Algumas questões para perguntar sobre alguém que você suspeita que possa ser um abusador:

1. Ele cresceu numa família violenta?
2. Ele tende a usar a força ou a violência para resolver seus problemas?

3. Ele usa/abusa de álcool ou outras drogas?
4. Ele tem pena de si mesmo?
5. Ele tem fortes ideias tradicionais sobre o que um homem deveria ser e qual é o papel da mulher?
6. Ele tem ciúmes de outros homens na vida dela, como amigos, parentes ou colegas do trabalho?
7. Ele "fica de olho" nela?
8. Ele quer saber onde ela está o tempo todo?

Por que eu não posso fazer aconselhamento de casal?

A vítima e o abusador devem sempre ser aconselhados separadamente para lidar com questões individuais que existiam antes de eles se unirem. Pesquisas mostram que mais de 90% dos assuntos com que um casal precisa lidar estão enraizados antes da idade da puberdade. Em aconselhamento de casal, a vítima não tem liberdade para conversar sobre o abuso na relação. Isso também coloca a vítima em risco de sofrer retaliação na forma de abuso severo, que produz um fator letal. Conselheiros precisam estar conscientes de que o abusador quase sempre negará o abuso. Além da vergonha e do medo, a mulher agredida estará relutante para conversar sobre a violência. Lembre-se: segurança primeiro, aconselhamento em segundo.

Em quem eu acredito?

A estrutura de aconselhamento para família abusiva é trazer a mulher separadamente e entrevistá-la antes de entrevistar o marido. Conforme mencionado anteriormente, se uma mulher sente se está segura com seu conselheiro e está certa de que não será traída, ela será verdadeira sobre o abuso dentro da família. Mais de 80% de mulheres que procuram ajuda pela primeira vez, vão ao pastor ou um conselheiro cristão. Muitas vezes a mulher vítima de abuso tenta compartilhar sua dor e não recebe crédito, então volta ao isolamento e sente que não há esperança. Ouça cuidadosamente, deixe-a expressar-se e acredite nela.

Quando eu preciso separá-los?

Pergunte se há violência física. "Ele bate em você?" "Você está em perigo?" "Como ele expressa seu humor?" Sempre tente separá-los se você achar que há violência física. Muitas vezes o abuso emocional é tão grande que há necessidade de separação, mas isso tem de ser tratado caso a caso. Muito raramente os tribunais reconhecerão ou instaurarão um processo sob a acusação de abuso emocional, uma vez que são difíceis de provar. Machucados podem ser fotografados, mas o abuso emocional não pode ser visto a olho nu. Para um conselheiro treinado, a linguagem corporal revela o abuso emocional. Abuso emocional machuca ainda mais e pode durar uma vida inteira. A *Life Skills* tem desenvolvido um fluxograma de separação estruturada, que dá ao conselheiro e aos clientes uma orientação para a separação.

"O avisado vê o mal e esconde-se" (Pv 27.12).

Como eu consigo recursos em minha comunidade?

Abrigos: Ligue para o programa de vítimas/testemunhas em seu sistema judiciário local e expresse seu desejo de ser instruída e ficar familiarizada com os recursos na comunidade. Muitas vezes, números de abrigos não são publicados, mas o sistema judiciário ou a União do Estado contra a violência doméstica pode lhe fornecer números de abrigos. Ligue para o diretor do abrigo e explique quem você é. Conte-lhe que está querendo se envolver na comunidade e quer ser parte da solução desse problema. Como um conselheiro ou pastor, nunca apareça num abrigo sem ligar antes. Eles têm policiais rigorosos para segurança e confidencialidade dos clientes. Ofereça uma sala da igreja ao abrigo para grupos de apoio da comunidade grátis e ofereça babá. Coordene uma equipe de apoio da igreja que possa providenciar as consultas médicas, encontros judiciários e assim por diante. Talvez a equipe possa solicitar donativos de serviços de utilidade pública ou apartamentos para a vítima e oferecer babá para os filhos.

Serviços de socorro legal: Descubra que serviços legais estão disponíveis. Existem defensores públicos para mulheres que estão em crise? Descubra que advogados são informados sobre as questões de violência contra mulheres.

Hospitais e salas de emergência: médicos e enfermeiras têm uma equipe de trabalho para apoiar a mulher agredida, e para servi-la e levá-la em segurança. Eles também receberão com agrado um pastor/conselheiro que tomará procedimentos de apoio à vítima e segurança.

Execução de sentença judicial: Um pastor/conselheiro deveria conhecer e trabalhar com execução de sentença judicial.

Descubra a força policial da lei tais como se a prisão é feita a critério dos oficiais; a política de não violência; tempo de prisão; e assim por diante. A maioria das agências agora tem um departamento de violência doméstica. Eles também recepcionam bem aqueles que querem aprender sobre o problema e podem permitir um pastor acompanhar um grupo e estar envolvido com telefonemas de violência doméstica, especialmente se o pastor tem algum treinamento nessa área. Uma mulher da igreja pode ser voluntária como advogada nos tribunais ou sistemas de abrigo.

Sistemas judiciários: O pastor ou seus assistentes deveriam se associar aos promotores públicos, assistentes penitenciários, juízes, programas de proteção à vítima/ testemunha, conhecendo eles mesmos como os tribunais estão estruturados. Programas de defensores são uma boa entrada para os pastores começarem a estreitarem relações com tais pessoas e grupos. Defensores públicos podem também ajudar a conseguir pedidos de restrição temporária, sem mandados de contato, ou cheios de mandados de restrição. Esse conhecimento será uma grande ajuda na garantia de segurança da vítima.

Programas de aconselhamento/tratamento de agressores: Procure um grupo de apoio em sua cidade ou região. Verifique os programas de treinamento e entre em contato com os diretores.

Qual é o meu papel/responsabilidade como um pastor em relação à vítima?

Um pastor precisa compreender antes de se envolver com a vítima. Ouça e coloque-se no lugar dela. Ajude a mulher e os filhos a encontrarem segurança e apoio.

O que é submissão?

Deixe-me compartilhar este cenário. Uma mulher que é membro da igreja tem sofrido abuso por muitos anos. Ela confronta seu marido e diz-lhe que vai conversar com o pastor sobre o abuso. O marido a ameaça e amaldiçoa o pastor, mesmo assim ela vai ao aconselhamento. Enquanto ela partilha seu coração com o pastor, ele questiona o que ela faz para levar seu marido a agir assim. Ela se sente como se fosse culpada pelo próprio abuso enquanto o pastor continua a conversar com ela sobre a submissão.

Se ela cozinhasse melhor, mantivesse uma casa limpa, fosse mais atraente, fosse mais sedutora, orasse mais e tentasse satisfazer as necessidades dele, talvez o abuso parasse.

Ela vai para casa sentindo-se indefesa e desanimada. Isso é perigoso e coloca a mulher e os filhos em grande risco. Quando ela passa pela porta, o marido grita: "O que esse pastor [xingamento] tinha a dizer?" Ela conta ao marido que ele disse para ela cozinhar melhor, manter a casa limpa, ser mais atraente, ser mais sedutora e tentar satisfazer as necessidades dele — então talvez o abuso parasse. O marido fica animado porque o pastor está do seu lado. Ele está até pensando sobre talvez ir à igreja e possivelmente lá se tornar amigo do pastor. Novamente ela se sente vítima das frases e terminologia espiritual. Como compartilhamos anteriormente, a submissão é para ambos, de acordo com o princípio da igualdade em Efésios 5.22,28-30.

Se não acharmos confiança na igreja com pessoas supostamente boas, como poderemos confiar em Deus para curar esses problemas? Na maior parte do tempo, a vítima se sente só numa igreja cheia de pessoas. Por favor, torne-se acessível a ela e acredite nela, bem como a faça se sentir bem-vinda, que Deus se importa e você também. Não a faça sentir-se responsável pelo problema.

Mas ele é um diácono, membro do ministério, professor da Escola Dominical

Homens que abusam provêm de todas as profissões, nacionalidades, níveis socioeconômicos e grupos religiosos. Eles não conhecem limites relacionados à classe, renda ou experiência. É perturbador perceber que a violência é parte da vida de muitas famílias que vão à igreja fielmente. Este é um problema para o qual a igreja devia chamar atenção, mas é provavelmente o problema que mais ignoramos. "O meu povo foi destruído, porque lhe faltou o conhecimento", declara Oseias 4.6. A paixão da *Life Skills International* tem sido ensinar o Corpo de Cristo a lidar com essa questão em vez de empurrá-la para debaixo do tapete ou fingir que "isso não existe em nossa igreja". Há esperança e ajuda para as famílias feridas, mas de acordo com Jeremias 6.14, "você não pode curar uma ferida dizendo que ela não está lá!"

É tempo de nós no Corpo de Cristo reconhecermos nossos problemas, a fim de que nos tornemos responsáveis e maduros. É também oportuno conduzir essas questões a partir do púlpito. Quando um pastor compreende as questões que os outros enfrentam, então aqueles membros da congregação que estão feridos reagirão.

NOTAS

Capítulo 2

[1] Lonni Collins Pratt, "God, Go Away", *Herald of Holiness*, agosto de 1992, 26.

[2] Conferência de notícias televisionadas da Casa Branca, Washington, D.C., Rede de Televisão CBS, 1° de março de 1989.

[3] Murray A. Straus, Richard J. Gelles e Suzanne K. Steinmetz. *Behind Closed Doors: Violence in the American Family* (Nova York: Anchor Press, 1981).

[4] Estatísticas do Departamento Federal de Investigação e Informação sobre Violência Doméstica, Seguro da Rede "Causa do Mês", site da internet <www.netbenefits.com/causes/html>.

[5] Chefe da saúde pública, do Serviço de Saúde Pública dos Estados Unidos, *Journal of the American Medical Association* 276, número 23 (17 de junho de 1992), 3132.

[6] NBC Nightly News, Rede de Televisão da NBC, outubro de 1996. Também, "Domestic Violence", na série televisiva *The Justice Files*, Canal Discovery, 1998. Também, "The Facts", Family Violence Prevention Fund [Fundo de Prevenção à Violência Familiar], site na internet, 1998.

[7] "Fact Sheet", Colorado Coalition Against Domestic Violence [União do Colorado contra a Violência Doméstica], site na internet www.psynet.net/ccav, 1998.

[8] R. A. Berk et al., "The Dark Side of Families", ensaio sobre pesquisa de violência familiar (Beverly Hills, Califórnia.: Sage, 1983).

[9] "Fact Sheet", Colorado Coalition Against Domestic Violence [União do Colorado contra a Violência Doméstica], site na internet www.psynet.net/ccav, 1998.

[10] P. Claus e M. Ranel, "Special Report: Family Violence", United States Bureau of Justice Statistics, não datado.

[11] Elizabeth Scheider, "Legal Reform Efforts for Battered Women", relatório (publicação própria, 1990).

[12] "Fact Sheet", Colorado Coalition Against Domestic Violence [União do Colorado contra a Violência Doméstica], site na internet www.psynet.net/ccav, 1998.

[13] "Forgotten Victims of Family Violence", *Social Work*, julho, 1982.

[14] "Fact Sheet", Colorado Coalition Against Domestic Violence [União do Colorado contra a Violência Doméstica], site na internet www.psynet.net/ccav, 1998.
[15] Straus et al., *Behind Closed Doors*.
[16] Lucy Friedman e Sara Cooper, "The Cost of Domestic Violence", relatório do Victim Services Resarch Department [Departamento de Pesquisa e Serviços às Vítimas], Nova York, 1987.
[17] "Domestic Violence for Health Care Providers", relatório (Denver: Colorado Coalition Against Domestic Violence, 1991).
[18] "Five Issues in American Health", relatório, American Medical Association, 1991.

Capítulo 4

[1] Berk et al., "The Dark Side of Families".
[2] Adaptado de L. E. Walker, *The Battered Woman* (Nova York: Harper and Row, 1979), 35-37. Usado com permissão.
[3] Ibid., pp. 31-33. Usado com permissão.
[4] Adaptado de V. Boyd e K. Klingbeil, "Behavioral Characteristics of Domestic Violence", notícia, n.p., 1979. Também Ruth S. Kempe e C. Henry Kempe, *The Abused Child* (Cambridge, Mass.: Harvard University Press, 1978), pp. 26-42. Além disso, Kendall Johnson, "Children´s Reactions to Trauma", *Trauma in the Lives of Children* (Claremont, Calif.: Hunter House Publishers, 1989), pp. 33-61.
[5] Citado em Karen Burton Mains, *Abuse in the Family* (Elgin, Illinois.: David C. Cook Publishing Co., 1987), pp. 7,8.

Capítulo 5

[1] Entrevistas pessoais com Elden M. Chalmers, Bismarck, N. Dark., fevereiro de 1993.

Capítulo 8

[1] "Battle of the sexes", programa de vídeo moderado por Scott Ross, produzido por *The 700 Club*, programa de televisão da Christian Broadcasting Network, Virginia Beach, Virgínia, 19 de julho, 1991.

Para Reflexão

[1] Walker, *The Battered Woman*, pp. 35-37. Usado com permissão.

BIBLIOGRAFIA

Acrescentamos às obras listadas nas notas as seguintes obras que foram usadas na pesquisa e compilação dos capítulos indicados.

Capítulo 2

AMMERMON, Robert T. e HERSON, Michale. *Assessment of Family Violence: A Clinical and Legal Sourcebook*. Nova York: John Wiley and Sons, 1992.

CANNON, Carol. *Never Good Enough*. Boise, Idaho: Pacific Press Publishing Assoc., 1993.

HEGSTROM, Paul H. "Power and Control in Relationships." Estudos de casos apresentados em três dias de clínicas em Denver. Publicação particular.

RUSSEL, Diana E. H. *Rape in Marriage*. Bloomingdale, Ind. e Indianápolis: Indiana University Press, 1990.

Capítulo 3

AMEN, Daniel G., M.D. *Change your Brain Change your Life*. Nova York: Three Rivers Press, 1998.

CARTER, Rita. *Mapping the Mind.* Los Angeles: University of California Press, 1999.

HARRIS, Maxine, Ph.D. *Trauma Recovery and Empowerment*. Nova York: The Free Press, 1998.

HOOPER, Judith e TERESI, Dick. *The 3-Pound Universe*. Nova York: Macmillan Publishing Company, 1986.

ORNSTEIN, Robert e THOMPSON, Richard F. *The Amazing Brain*. Boston: Houghton Mifflin Company, 1984.

WILLIAMS, Tom, Psy.D. *Post Traumatic Stress Disorders*. Cincinnati, Ohio: Publicado por Disabled American Veterans, 1987.

WILSON, John P.; FRIEDMON, Matthew J. e LINDY, Jacob D., editores. *Treating Psychological Trauma & PTSD*. Nova York: The Guildford Press, 2001.

VAN DER KOLK, Bessel A.; Mcfarlone, Alexander C. e WEISAETH, Lars, editores. *Traumatic Stress*. Nova York: The Guildford Press, 1996.

Entrevista pessoal com Marguerite McCormack, Supervisor de Relações de Columbine, Denver, Colorado: 1999, 2001, 2003, vídeo "Neurobiologia do Trauma".

Capítulo 4

BIJU, Sidney W. e BAER, Donald M. *Child Development: A Systematic and Empirical Theory*. Nova York: Appleton-Century-Crofts, 1961.

Bloom, Martin. *Life Span Development: Bases for Preventive and Interventive Helping*. Nova York: Macmillan Publishing Co., 1980.

Ells, Alfred. *Restoring Innocence*. Nashville: Thomas Nelson Publishers, 1990.

Erickson, Erick H. *Childhood and Society*. Nova York e Londres: W.W.Norton and Co., 1963.

___. *Identity and the Life Cycle*. Nova York e Londres: W.W.Norton and Co., 1980.

GARBARINO, James; GUTTMAN, Edna e SEELEY, Janis Wilson. *The Psychologically Battered Child*. San Francisco: Jossey-Bass Publishers, 1986.

GINSBURG, Herbert e OPPER, Sylvia. *Piaget's Theory of Intellectual Development*. Englewood Cliffs, N.J.: Prentice-Hall, 1979.

HAGONS, Kathryn B. e CASE, Joyce. *When your Child has been molested*. Lexington, Mass.: D.C.Heath Co., 1988.

HOFER, Myron A. *The Roots of Human Behavior.* São Francisco: W.H. Freeman and Co., 1981.

KAGON, Jerome. *Personality Development.* Nova York: Harcourt Brace Jovanovich, 1971.

MEISELMAN, Karin C. *Incest: A Psychological Study of Causes and Effects with Treatment Recommendations.* São Francisco: Jossey-Bass Publishers, 1984.

PIAGET, Jean e INHELDER, Barbel. *The Psychology of the Child.* Nova York: Harper, 1969.

SPREEN, Otfried; RISSER, Anthony T. e EDGELL, Dorothy. *Developmental Neuropsychology*. Nova York: Oxford University Press, 1995.

TOBIAS, Cynthia Ulrich. *The Way They Learn.* Colorado Springs: Focus on the Family Publishers, 1994.

WADSWORTH, Barry J. *Piaget's Theory of Cognitive Development*. Nova York: Longman, 1971.

Capítulo 6

ALBERS, Robert H. *Shame: A Faith Perspective*. Nova York: Haworth Pastoral Press, 1995.

EASTMAN, Meg e ROZEN, Sydney Croft. *Taming the Dragon in your Child: Solutions for Breaking the Cycle of Family Anger.* Nova York: John Wiley and Sons, 1994.

EVANS, Christine Brautigam. *Breaking Free of the Shame Trap.* Nova York: Balantine Books, 1994.

FOSSUM, Merle A. e MASON, Marilyn J. Facing *Shame: Families in Recovery*. Nova York: W.W. Norton and Co., 1986.

KAUFMAN, Gershen. *Shame: The Power of Caring*. Rochester, Vt.: Schenkman Books, 1985.

KURTZ, Ernest. *Shame and Guilt: Characteristics of the Dependency Cycle.* Center City, Minnesota: Hazelden Foundation, 1981.

LAHAYE, Tim e PHILLIPS, Bob. *Anger Is a Choice.* Grand Rapids: Zondervan, 1982.

LESTER, Andrew D. *Coping with your Anger: A Christian Guide.* Filadélfia: Westminster Press, 1983.

LEWIS, Helen Block. *Shame and Guilt in Neurosis.* Nova York: International Universities Press, 1971.

MOORE, James. *The Anger Kit.* Minneapolis: publicação independente, 1981.

MOZ, Jane Middleton. *Shame and Guilt: Masters of Disguise.* Deerfield Beach, Fla.: Health Communications, 1990.

NATHANSON, Donald L. *Shame and Pride.* Nova York: W.W. Norton and Co., 1992.

RUBIN, Theodore Isaac. *The Anger Book.* Nova York: Macmillian Publishing Co., 1993.

SMEDES, Lewis B. *Shame and Grace.* Nova York: HarperCollins Publishers, 1993.

TAVRIS, Carol. *Anger: The Misunderstood Emotion.* Nova York: Simon and Schuster, 1990.

WEST, Maxine. *Shame-Based Family Systems: The Assault on the Esteem.* Minneapolis: publicação independente, 1986.

Para Reflexão

BINGHAM, Carol Findon. *Doorway to Response.* Springfield, Illinois.: United Methodist Women Publishers, 1986.

JACKSON, Tim e OLSON, Jeff. *When Violence Comes Home: Help for Victims of Abuse Spouse.* Grand Rapids: Radio Bible Class, 1995.

MORRIS, Roberta. *Ending Violence in Families*. Toronto: United Church of Canada, 1988.

ROUSE, Linda P. *You Are Not Alone: A Guide for Battered Women.* Holmes Beach, Fla.: Learning Publications, 1984.

SUTTON, Cathy A. e GREEN, Howard. A *Christian Response to Domestic Violence*. St Davids, Pa.: NAACP in Social Work, 1985.